THE SIGMA FORCE SERIES ⑬

AIの魔女

［上］

ジェームズ・ロリンズ
桑田 健［訳］

Crucible

James Rollins

シグマフォース シリーズ⑬
竹書房文庫

THE SIGMA FORCE SERIES
CRUCIBLE
by James Rollins

Published in agreement with the author,
c/o BAROR INTERNATIONAL, INC., Armonk, New York, U.S.A.
through Tuttle-Mori Agency, Inc., Tokyo

目次

上巻

主な登場人物

グレイソン（グレイ）・ピアース……米国国防総省の秘密特殊部隊シグマの隊員
ペインター・クロウ……シグマの司令官
モンク・コッカリス……シグマの隊員
キャスリン（キャット）・ブライアント……シグマの隊員。モンクの妻
ジョー・コワルスキ……シグマの隊員
ジェイソン・カーター……シグマの隊員
セイチャン……ギルドの元工作員。グレイの恋人
ペネロペ（ペニー）……モンクとキャットの長女
ハリエット……モンクとキャットの次女
リサ・カミングズ……米国の医師。ペインターの妻
マラ・シルビエラ……スペインのコンピューターの天才
シャーロット・カーソン……米国の駐ポルトガル大使
カーリー・カーソン……シャーロットの娘。マラの友人
エリサ・ゲラ……ポルトガルのコインブラ大学の図書館館長
フィニガン・ベイリー……カトリック教会の神父
トドル・イニーゴ……クルシブルの戦闘員
ヴァーリャ・ミハイロフ……ギルドの元工作員
イヴ……人工知能

ＡＩの魔女　上

シグマフォース　シリーズ　⑬

チャック・ブルースとシンディ・ブルースへ

二人の長年にわたる友情と、助言と、そして何よりも変わらぬ心の広さに捧げる。

歴史的事実から

魔女の存在は信じないが、彼らは実在する。
――ガリシア地方の古い諺

一六九二年二月から一六九三年五月にかけて、マサチューセッツ植民地の住民二十人――そのうち十四人は女性――が、妖術に手を染めたとして告発され、裁判にかけられ、死刑に処された。悪名高きセイラム魔女裁判は歴史に消えることのない跡を残したが、この出来事はすでにヨーロッパを席巻《せっけん》した大きな魔女狩りのうねりが、集団ヒステリーとして暴発した最後の一例にすぎない。ヨーロッパでは迫害が三世紀近く続き、合計で六万人以上の「魔女たち」が、焚刑《ふんけい》、絞首刑、溺死刑などで命を絶たれた。

こうした流血と死は十五世紀に突如として巻き起こったのだが、そのきっかけは一冊の書――魔女狩りを行なう者のための手引き書『魔女に与える鉄槌《てっつい》』の出版にあるとされる。一四八七年にドイツのカトリックの司祭ハインリヒ・クラーマーによって出版されたこの本は、ケルン大学から承認され、カトリック教会の最高位のローマ教皇インノケンティウス八世からもお墨付きを得た。発明されて間もない印刷機によってすぐに多くの部数が印刷され、ヨーロッパ各地、さらにはアメリカ大陸にまで広まった。やがて同書は異端審問官が魔女の特定、拷問、処刑をするうえで欠かすことのできない「バイブル」となり、特に女性の異教徒の弾圧にその重点が置かれた。多くの学者は『魔女に与える鉄槌』を歴史上で最も血塗られた本の一冊と見なしており、アドルフ・ヒトラーの『我が闘争』に匹敵するとの意見もある。

だが、手引き書の出版前、魔女とキリスト教会の関係は、それほど単純なものではなかった。当初、魔女はそこまで頑《かたく》なに忌み嫌われてはいなかった。旧約聖書ではイスラエルの王サウルが亡き預言者サムエルの魂を呼び出そうとしてエンドールの魔女を探し求めたし、中世の魔女たちは古代の伝統にのっとって体にいい薬草を収穫する癒し人とされることも多かった。あの血なまぐさいスペイン異端審問の間も、その名称が示しているように、火あぶりにされたり拷問を受けたりするのが最も多かったのは、魔女ではなくてキリスト教の異端者たちだった。

魔女の役割とカトリック教会の関係がこのように曖昧《あいまい》だったというさらなる証拠として、中世を通じてスペインでは、魔女の牙城《がじょう》と見なされていた北部のガリシア地方を中心に、聖コルンバ崇拝が盛んだった。伝説によると、スペインの聖コルンバとは九世紀の魔女のことで、彼女は巡礼中にキリストの姿を目にしたという。キリスト教に改宗しなければ天国に行けないと伝えられたコルンバは、言われた通りに改宗したものの、その後も魔女であり続けた。やがて彼女はムーア人によって斬首刑《ざんしゅ》に処され、殉教者になり、「魔女の守護聖人」として知られるようになった。今日に至るまで、彼女は魔女の保護者としての役割を果たし続け、いい魔女たちの味方をする一方で、邪悪な目的のためにその力を乱用する者たちと戦っているとされる。

さあ、今こそ聖コルンバのためにろうそくをともす時だ。なぜなら、我々は妖術の新たな時代に突入しようとしているのだから。

科学的事実から

「十分な発達を遂げた科学技術はどれも、魔法と区別がつかない」
――アーサー・C・クラーク
一九六二年のエッセイ「預言の危険：想像力の失敗」より。

人類の終わりについて話をしようじゃないか――我々は間もなく、その問題についての発言権をほぼ失ってしまうかもしれないのだから。危険な脅威が間近に迫っていて、それは我々の存命中にも起きる可能性がある。世界的に有名な物理学者だったスティーヴン・ホーキング博士は、この来たるべき脅威を「文明が誕生して以降で最悪の出来事」と記した。イーロン・マスクはそのことが第三次世界大戦につながると信じている。ロシアのウラジーミル・プーチン大統領までもが、この出来事を支配する者たちが世界を支配することになると語っている。

その出来事とは、本当の意味で人間に似た世界初の人工知能（ＡＩ）の創造だ。

そのような瞬間の訪れは、すでに世界の権力者たちをおののかせている。二〇一八年二月、世界政府サミットにおいて、ＡＩの運命について議論するための非公開の極秘会合が開かれた。出席者はＩＢＭ、マイクロソフト、フェイスブック、アマゾンからの代表のほか、ヨーロッパ各国、ロシア、シンガポール、オーストラリア、アラブ諸国の政府高官たち。我々の存在そのものが危険にさらされているということで見解の一致を見たが、何よりも恐ろしいのは、規制や国際的な合意をもってしても自意識を持つＡＩに向けた進歩はもはや避けがたく、止めることができないと出席者たちが結論づけた点だ。どのような対抗策を講じたところで「抜け道があり」、過去の歴史が証明しているように、いかなる禁止令を出したとしても、世界の片隅でひっそりと活動している秘密の企業や組織が簡単にかいくぐってしまうだろうと見なされた。

では、新たな知能の地球上への登場は、どこまで間近に迫っているのだろうか？　ＡＩはすでに様々な形で我々の生活に入り込んでいる。コンピューターや携帯電話、さらには家電製品の中でも作動中だ。現在、ウォール街での株の売買の七十パーセントは人間の導きなしで進められていて、わずか〇・三秒以下で取引が完了する。あまりにも当たり前の存在になってしまい、もはやほとんどの人が「ＡＩ」として認識しないものまである。しかし、この技術の進歩における次の段階は急速に近づきつつある。それはコンピューターが人間レベルの知能と自意識を持っていると実証する時だ。最近の調査によると、コンピューター専門家の四十二パーセントはそんな機器の誕生が十年以内に実現すると信じており、そのうちの半数は五年以内だと答えた。

だが、なぜこの出来事がそれほどまでの危機なのだろうか？　なぜこれが「文明が誕生して以降で最悪の出来事」なのだろうか？　なぜなら、人間並みの人工知能の第一号は怠け者ではなく、とても仕事熱心になるはずだからだ。たちまちのうちに――数週間以内に、または数日以内に、ことによると数時間のうちに、我々には理解できない「超知能」に進化するだろう。我々よりもはるかに優秀で、おそらく人間をほとんど必要としない存在になる。それが起きた時、この新しい超知能が善良な神になるのか、それとも冷酷で破壊を好む悪魔になるのかを、今から予測する術《すべ》はない。

それにもかかわらず、その誕生が迫っている。止めることはできない。中にはもう生まれていると信じている人もいる。だからこそ、私は最後の警告を発しておかなければならない。「この小説のページには呪いが埋め込まれている」……本書を読むだけで、読者は図らずも身の破滅を招くことになるかもしれない。

だから、読み続ける場合には自己責任でお願いしたい。

これから創造されるものは実質的には神と言える。雷を起こしたり、ハリケーンを発生させたりするという意味での神ではない。だが、もし世界一賢い人間の十億倍も賢い何かが存在するとすれば、ほかにどう呼べばいいのか？……（それに）今度は文字通りの意味で神に語りかけることができるし、ちゃんと話を聞いてもらっていることだってわかる。

——アンソニー・レヴァンドウスキ

グーグルの元幹部で、人工知能を崇拝する新たな宗教団体「ウェイ・オブ・ザ・フューチャー」の創設者（バックチャンネル（https://www.wired.com/category/backchannel/）二〇一七年十一月五日のマーク・ハリスによるインタビュー記事「初めての人工知能教会の内側」より）。

我々は人工知能で悪魔を呼び出している。

——イーロン・マスク

二〇一四年のマサチューセッツ工科大学航空宇宙工学の百周年シンポジウムにて。

パリ
フランス
ビスケー湾
スガラムルディ
サン・セバスティアン
オ・セブレイロ
ログローニョ
バルセロナ
ポルトガル
マドリード
コインブラ
スペイン
リスボン
地中海
マラガ
N
W
E
S

プロローグ

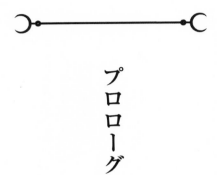

一六一一年六月二十三日
スペイン　スガラムルディ

鉄格子の奥では、藁《わら》を敷いた薄汚い寝床の上に妖術師がひざまずき、神に祈りを捧げていた。

アロンソ・デ・サラサール・フリアスは見慣れない光景に目を凝らした。異端審問官の彼は、中にいる人物の姿をほとんど確認できずにいた。独房の内部は暗く、隣接する村の広場で燃え上がる炎がちらちらと光を投げかけているだけだ。窓の隙間からは石壁を照らして不気味に揺れる光とともに、焼けた肉のにおいも流れ込んでくる。

アロンソは妖術師がラテン語でつぶやくのを聞き、その組んだ両手と前に垂れた頭を見つめた。祈りは聞き覚えのあるものだった。イエズス会の創設者イグナチオ・デ・ロヨラによる『アニマ・クリスティ』だ。ここでひざまずく妖術師が同じイエズス会の司祭だということを考えると、その祈りもうなずける。

アロンソは心の中で祈りの最後の部分を翻訳した。〈臨終の時にわたしを招き、みもとに引き寄せてください。すべての聖人とともに、いつまでもあなたを、ほめたたえることができますように〉

「アーメン」アロンソが声に出して締めくくると、告発を受けた妖術師が注意を向けた。アロンソは相手が立つのを待った。四十七歳のアロンソとほぼ同年代のはずだが、司祭は立ち上がるにも一苦労といった様子だ。まだどうにか原型をとどめているローブが、痩《や》せ衰えた肩から垂れ下がっている。頬《ほお》は落ち窪《くぼ》み、顔のあちこちにあばたのような跡がある。見張りたちが司祭の髪を剃《そ》ってしまっていたが、頭頂部の数カ所にはかさぶたになった傷が残っていた。

相手が神に仕える身でありながら異端者と妖術師の疑いをかけられた人物だと知りつつも、アロンソはその哀れな見た目にいくばくかの同情を覚えた。彼がバスク地方の小さな村を訪れているのは、この尋問を行なうように異端審問所の審問長から直々の要請を受けたためだ。ピレネー山脈を横断し、フランスとの国境の近くにある小さな農村の集落までたどり着くのに七日間を要した。

司祭はおぼつかない足取りでアロンソの方に近づくと、体力の衰えのせいで小刻みな震えが止まらない骨ばった指で鉄格子を握り締めた。

〈この男性に最後に食事を与えたのはいつなのだろうか？〉

だが、イエズス会士の言葉はしっかりしていた。「私は妖術師ではない」

「私はそのことについて判断を下すように命じられているのです、イバラ神父。あなたに向けられた告発を読みました。あなたには病人を治療するために妖術を使い、呪文と魔除けを用いた嫌疑がかかっています」

司祭は二呼吸の間を置いてから口を開いた。「私も君のことを知っているぞ、フリアス審問官。君の評判を聞き及んでいる。君は二年前の夏のログローニョでの魔女裁判における三人の審問官のうちの一人だった」

アロンソは羞恥心《しゅうちしん》から思わず表情が歪《ゆが》み、それを見られまいとして顔をそむけたものの、揺らぐ炎と黒く焦げた肉のにおいからは簡単には逃れられなかった。ここでの光景とにおいが、別の生々しい記憶を刺激する。ここからほど近いログローニョの町で開かれた裁判で、アロンソはほかの二人の審問官とともに判決を言い渡した。その判決への罪悪感が、彼の心を苦しめていた。それはスペインでは過去最大規模の異端審問だった。マリア・デ・シミルデグイという一人の女性による告発が、ヒステリーとパニックに火をつけた。彼女はサバトと呼ばれる魔女の集会を目撃したと主張し、その出席者として名指しされた人物がさらに別の人物を非難した。結局、三百人が悪魔と交わったとして告発されることになる。その多くは子供たちで、最年少はまだ四歳にすぎなかったという。アロンソがログローニョに到着した時には、ほかの二人の審問官が裁判の対象者を最も罪の重い三十人に絞り込んでいた。罪を認めた者たちは何らかの罰こそ受けたものの、火あぶりの刑は免れた。悲しいことに、十二人は自分たちが魔女や妖術師だとは頑なに認めようとしなかったため、磔《はりつけ》にされ、生きたまま焼かれた。

アロンソはその人たちの死をずっと心に留めていた。本人たちに魔女や妖術師だと認めさせられなかったからではない。彼らが無実だと信じていたからだ。アロンソは後にその信念を公にした。友人として大きな信頼を置くスペイン異端審問所の審問長ベルナルド・デ・サンドバル・イ・ロハスへのその告白は、大きな危険を伴うものだった。だが、友情への信頼は間違いではなかったことが証明された。国王が任命した異端審問所の初代審問長トマス・デ・トルケマダによる残酷で血なまぐさい時代は、一世紀前の話だ。今の審問長はアロンソ一人を広大なスペインのバスク地方に派遣し、各地でヒステリーと事実を選別するための調査を行なわせた。アロンソはすでに二カ月近くも旅を続けながら、告発されたり収監されたりしている人たちを尋問してきた。これまでに彼が突き止めたのは拷問によって引き出された偽りの証言ばかりで、その内容は矛盾とでたらめに満ちていた。調査中、アロンソは妖術の使用が確認できた事例をいまだに一つも発見できていない。

そのような罪を着せられた人たちを救おうと一人で懸命に取り組む際、アロンソはある武器を振るった。彼は目の前の司祭に注意を戻し、肩から吊るした革製のかばんに手を添えた。「イバラ神父、この中にあるのは異端審問所の審問長の署名が入った信仰の布告です。それを持つ私には、罪を認め、神への忠誠を誓い、悪魔を糾弾する人に、許しを与えることができるのです」

　暗闇の中で輝く司祭の目からは強い誇りがうかがえる。「誓うことに関しては——神に対する我が愛を表明することについては、何の異存もない。だが、ずっと言い続けているように、私は妖術師ではないし、そうだと認めるつもりもない」

「たとえ自らの命を守るためであっても？」

　イバラ神父はアロンソに背を向け、炎の明かりが差し込む独房の窓をじっと見つめた。

「君が到着した時、あの者たちの悲鳴が聞こえたかね？」

　今度はアロンソも表情が歪むのを隠せなかった。山を下る道中、村から幾筋もの煙が立ち昇っているのを目撃した。その時は煙が夏至の日を祝うかがり火であることを祈った。それでも、最悪の事態を恐れて、アロンソは馬に鞭《むち》を入れた。沈みゆく太陽と競うようにして村の外れまでたどり着いたものの、彼を出迎えたのは村人たちがむせび泣く声だった。

　六人の魔女たちがすでに焚刑に処されていた。

　いや、魔女ではない……〈ただの女性だ〉アロンソは心の中で自分に言い聞かせた。

　あいにく、小さな村を最初に訪れた審問官はアロンソではなかった。イバラ神父がまだ処刑されずにいるのは、彼が司祭だったためだろう。

　アロンソは男性の背中を見つめた。

〈たとえ彼一人であっても、命を救わなければ〉

「イバラ神父、お願いですから、認めて――」

「君は聖コルンバについて何を知っているかね？」

奇妙な質問に面食らい、アロンソが答えを返すまでに一瞬の間があった。サラマンカ大学とシグエンサ大学に通い、カトリック教会の司祭になるために教会法を学んでいたアロンソは、数多くの聖人について精通している。しかし、イバラ神父が口にしたのは、いろいろと問題のある名前だった。

「ガリシアの魔女のことをお話しですね」アロンソは返した。「九世紀、ローマへの巡礼中にキリストの霊と出会ったという」

「主は彼女に対して、天国に行きたいのであればキリスト教に改宗するよう言われた」

「そして彼女は改宗し、後にそのために殉教者となりました。キリスト教を捨てるのを拒み、斬首刑に処されたのです」

イバラ神父はうなずいた。「彼女はキリスト教に入信したものの、魔女としての自分を捨てることもなかった。彼の地《か》の農民たちは今もなお、両方の立場の――魔女としての、および殉教した聖人としての、両方の彼女をあがめている。邪悪な妖術から自分たちを守ってくれるよう彼女に祈りを捧げる一方で、薬草や魔除けや呪文で病人を治してくれる善良な魔女たちを迫害から守ってほしいと頼んでもいる」

スペイン北部をくまなく旅している間に、アロンソは聖コルンバを崇敬する人たちについての噂を耳にしていた。多くの女性たち——それも教養のある女性たちが、異教の知識を頼りにして自然界のことを学んだり、薬や薬草を探し求めたりしていることは知っている。そうした女性たちの中には魔女として告発され、司祭によって毒を盛られたり、磔にされて焼かれたりした人もいた。その一方で、尼僧院や修道院に逃げ込んだ人たちは、聖コルンバと同じようにキリストを崇拝しながらも、密かに薬草を育てて病気に苦しむ人たちを助け、異端の教えとキリストの教えとの間を行き来する生活を送っていた。

アロンソはイバラ神父のことを凝視した。

この司祭も同じグループの一人なのだろうか？

「あなたは病人の治療に際して不思議な魔除けを使用した罪に問われています」アロンソは告げた。「そのことはあなたが妖術師の一味だという印ではないのですか？　そうだと認めるのであれば、私は布告を用いてあなたの——」

「私は妖術師ではない」イバラ神父は繰り返し、独房の小さな窓から中に忍び込んでくる煙を指差した。「天に昇るあの女性たちは、このあたりの牧草地一帯や山間部の村々で多くの病人を癒してきた。私は魔女の守護聖人である聖コルンバの忠実なるしもべとして、彼女たちを保護していたにすぎない。自らを妖術師だと認めれば、自分の心に嘘をつくことになる。そうした告発を蔑《さげす》んでいるからではない。自分は妖術師と呼ばれるに値しない人間だから……そのような名誉には値しないのだよ」

アロンソはその言葉を衝撃とともに受け止めた。魔女や妖術師として糾弾された人たちから、これまでに幾度となく反論の言葉を聞かされてきたが、このような形で否定されたのは初めてだ。

イバラ神父は鉄格子に身を近づけた。「しかし、私の魔除けについて……それに関する話は本当だ。君の前にこの村を訪れた者たちは、それを探していたのではないかと思う」

その言葉が合図になったかのように、アロンソの背後で扉が開いた。黒いローブに身を包み、フードをかぶった修道士が入ってくる。新たに現れた人物の両目は深紅の帯の下に隠れているが、こちらのことはちゃんと見えているようだ。「彼は白状したのか？」修道士が不愛想な声で訊ねた。

アロンソはイバラ神父の方に向き直った。司祭は鉄格子から後ずさりし、居住まいを正している。この神父は決して屈しはしないだろう。「まだです」アロンソは正直に答えた。

「彼を連れていけ」修道士が命じた。

修道士の仲間が二人、室内に勢いよく入ってくると、イバラ神父を処刑場まで連れていこうとする。アロンソは二人の前に立ちはだかった。「私が彼に付き添います」

すぐに独房のかんぬきが外されると、アロンソはイバラ神父と並んで監獄を出て、村の広場に向かった。体を支えてしっかりと立たせておくために、神父の肘に手を添える。イバラ神父の手足が小刻みに震えているのは、体力の衰えや飢えのせいだけではない――広場の光景のせいでもあった。

煙を噴き上げる六本の磔台には熱さで身をよじりながら息絶えた人がつながれたままで、真っ黒に焦げた左右の腕を横に広げ、両手首は赤く輝く鉄で固定されていた。切り倒してまだ間もないクリ材で作られた七本目の磔台が直立するまわりには、腰の高さのあたりにまで乾いた焚《た》き付けが積み上げてある。

イバラ神父が手を伸ばし、アロンソの手をきつく握り締めた。

アロンソは怯《おび》えた神父を力づけようと握り返した。「主はあなたを温かく受け入れてくれます」

だが、アロンソはイバラ神父の意図を誤解していた。骨ばった指がアロンソの手を開き、手のひらに何かを押しつける。アロンソはこっそりと手渡された物体をとっさに指で包み込んだ。すり切れたローブの内側に隠れたポケットから取り出したに違いない、その物体の正体がわかったからだ。

〈イバラ神父の魔除け〉

司祭のスペイン語でのささやき声が、アロンソの予想を裏付けた。「ノミナス・デ・モロ」

これは聖人の名前が表面に刻まれている魔除けやお守りのことで、奇跡を起こす力があると言われている。

「オラビデア川の源流で見つかった」イバラ神父は早口で説明した。「彼らの手に渡らないようにしてほしい」

前方の煙幕の向こうから、背の高い人物が明らかに意図を持った足取りでこちらに近づいてくる。ローブは深紅で、目の部分を覆う布は黒。グループのリーダーだ。アロンソは異端審問所のこの秘密の一派に関する噂を耳にしたことがあった。とうの昔に死んだトルケマダの血に飢えたやり方に今でも執着している連中だ。彼らは自分たちを「クルシブルム」と名乗る。火によって清める器「るつぼ」を意味するラテン語だ。

アロンソは六本の磔台に鎖でつながれたまま煙を噴き上げる遺体を見つめた。手のひらの中の魔除けを握り締める指にいっそう力が込められる。

リーダーが前に進み出て、仲間に向かってうなずいた。無言の命令を受けて、部下たちはイバラ神父をアロンソから引き離し、前に引きずっていく。リーダーは金箔の施された分厚い書物を両手に抱えていた。アロンソにはそれが呪われた本だとすぐにわかった。そのタイトルは『魔女に与える鉄槌、それは魔女とその異端を両刃の剣のごとく打ち砕く』……一世紀以上も前に書かれた本で、魔女や妖術師を追い詰め、特定し、罰するための必携の書とされた。だが、すでにローマ教皇の後ろ盾を失っていて、異端審問所の中でも支持する者は少ない。

けれど、クルシブルムの一派内ではますますその重みを増しつつある。

アロンソはその場からじっと動かずにいた。ほかに何ができるというのか？　自分は一介の審問官にすぎないのに、相手は歴史あるクルシブルムに属する十数人なのだ。

イバラ神父が死に場所へ連れていかれるすぐ後ろを、一派のリーダーがぴたりとくっつくように追った。リーダーは司祭に向かって強い調子でささやきかけている。アロンソの耳に「ノミナス」という単語が聞こえた。

〈イバラ神父が恐れていたことは正しかったわけだ〉

リーダーは神父に脅しをかけているに違いない。または、魔除けについて本当のことを明かすのならば、命は助けてやるという約束をちらつかせているのかもしれない。

イバラ神父と二人きりでいた自分に注意が向けられることを恐れ、アロンソは広場を後にした。彼が最後に目にしたのは、イバラ神父が焚き付けの山から突き出たクリ材の磔台に鎖で縛りつけられている姿だった。視線が合うと、神父はほんのわずかにうなずいた。

〈彼らの手に渡らないようにしてほしい〉

アロンソは心の中でそうすることを誓い、背を向けた。馬をつないである場所に向かって急ぐ。数歩も進まないうちに、天まで届くかのようなイバラ神父の叫び声が聞こえた。

「我々を残らず燃やすがいい！　もはや同じことだ。聖コルンバは顕現を預言された。彼女の遺産を受け継ぐ魔女の訪れを。その魔女がるつぼを壊し、世界を清めるであろうと！」

その宣言を聞き、アロンソは前につんのめりそうになった。クルシブルムが聖コルンバの信者たちを黙らせようとしているのも無理はない。そのような主張のいかなる証拠も焼き払ってしまおうと目論《もくろ》んでいるのだ。アロンソは手のひらの中にある魔除けをきつく握り締めた。神父の言葉の真偽のほどはどうあれ、世界は徐々に変わりつつある——トルケマダのやり方はすたれつつあり、『魔女に与える鉄槌』も朽ちつつある。だが、その実現までには、さらなる血が流れ、人が焼かれることだろう。死にゆく時代の最後のあがきがあることだろう。

十分な距離を置いたところで、アロンソはイバラ神父のノミナスを調べることにした。手のひらを開く。目に飛び込んできたものに衝撃を受け、アロンソは大切な預かり物を危うく落としそうになった。それは指で、誰かの手から引きちぎられたものだった。切断面のあたりは焼け焦げているように見えるものの、それ以外はほぼ完璧な状態で保存されている。聖人の遺物が腐敗の影響を受けることなく朽ちずにいるのは、その神聖さの証《あかし》の一つとされる。

自分の手にあるのはそんな聖遺物なのだろうか？

立ち止まって詳しく調べると、指に文字が記されている。

サンクトゥス・マレフィカルム。

アロンソはラテン語を翻訳した。

〈魔女の聖人〉

つまり、これは本物のノミナス、聖人の名前が書かれた魔除けだったのだ。だが、アロンソはそれ以上のことに気づいた。指は聖遺物――聖人の体の一部なのではなく、それにも増して信じがたい何かだった。

あまりの不思議さに息をのみながら、アロンソはその物体を何度もひっくり返しながら観察した。本物の指のように見えるものの、そうではない。皮膚はやわらかいが、ひんやりしている。切断面はぜんまい仕掛けの時計のようで、何本もの細い線が見え、金属でできた骨が光を反射している。これはそっくりに作った偽物、機械式の指の模型だ。

アロンソは王や女王への贈呈品にまつわる話を聞いたことがあった。人体の動きを真似た精巧な作り物のことだ。六十年前、神聖ローマ帝国の皇帝カール五世は、スペイン系イタリア人の発明家で職人のファネロ・トゥリアノが制作した修道僧のからくり人形を贈られた。人形は木製の十字架を上げ下げすることができ、十字架が口元に近づくと唇が祈りの言葉をつぶやくかのように動くほか、頭を前後に動かしたり目を左右に動かしたりもできたという。

〈私が手にしているのはそんな作品の一部なのだろうか?〉

そうだとしたら、それは何を意味するのか?　聖コルンバ崇拝とどのようにつながっているのか?

答えのわからないまま、アロンソは馬小屋を目指して歩き続けた。この謎に関して、イバラ神父はもう一つ手がかりを残してくれた。魔除けの由来。それが見つかった場所。

「オラビデア川」アロンソは眉根を寄せながらつぶやいた。

この地域の審問官ならば誰もがその川のことを知っている。「魔女の洞窟」の名前で知られる洞窟に源を発している川だ。その場所ではサバトと呼ばれる魔女の集会が何度も開かれている。オラビデア川にも同じような暗い歴史がある。その川が「地獄の流れ」と呼ばれることもあるのは、地獄の奥深くからこの世界に流れ出ているという噂があるためだ。

アロンソは恐怖に身震いした。イバラ神父が真実を語っていたならば、手の中にあるこの魔除けはその川の源流で発見されたということになる。

別の言い方をするならば、まさに地獄の門に当たる場所で。

アロンソはこの件をそれ以上追究することが不安になり、魔除けを捨ててしまおうかと考えた――その時、背後から苦痛に満ちた悲鳴が聞こえ、夜空にこだました。

〈イバラ神父……〉

アロンソはノミナスを再びしっかりと握り締めた。

神父は命を賭してこの秘密を守った。

〈この重荷を捨て去ってはならない〉

たとえ地獄の門をくぐることになろうとも、真実を突き止めてみせる。

現在
十二月二十一日　西ヨーロッパ時間午後十時十八分
ポルトガル　コインブラ

魔女たちが彼女を待っている。

シャーロット・カーソンは明かりの消えた大学図書館の中を足早に横切っていた。大理石の床を蹴る急ぎ足の靴音が、中世にできた二階分の高さがある蔵書室の煉瓦《れんが》造りの天井にこだまする。装飾の施された書棚が周囲に連なり、蔵書の中には出版が十二世紀にまでさかのぼるものもある。広大な空間をほんの一握りの燭台《しょくだい》が照らしている中で、シャーロットは暗がりの先に延びる梯子《はしご》や、金箔の貼られた緻密《ちみつ》な木工技術に見とれた。

十八世紀の初頭に建てられたジョアニナ図書館は、バロックの建築様式と設計の至宝で、コインブラ大学の歴史のまさに中心的存在として、その素晴らしさを今の時代に余すところなく伝えている。ほかの数多くの宝物庫と同様に、まさしく金庫そのもののような造りで、壁の厚さは六十センチあり、チーク材でできた頑丈で巨大な扉がこの空間を密閉している。そうした設計のおかげで、内部は四季を通じて温度は常に十八度に、湿度も低く保たれている。

〈古い書物の保存には最適……〉

だが、そうした保存のための取り組みは、図書館に使用された建築技術だけが役割を担っているわけではない。

シャーロットが首をすくめると同時に、一羽のコウモリが頭の近くを通り過ぎ、蔵書室の二階部分に向かって上昇していく。コウモリの発する超音波は耳に聞こえないものの、シャーロットは首筋の毛が逆立つような感覚を味わった。何世紀も前から、コウモリの群れがこの図書館内に住み着いている。コウモリたちは館内に所蔵されている作品を保存するための闘いにおける強い味方だ。膨大な数にのぼる古い革や黄ばんだ紙は虫たちの大好物だが、コウモリは夜になるとそんな虫を食べてくれる。

もちろん、この建物をそうした優秀なハンターたちと共有する場合には、それなりの用心が必要になる。シャーロットはテーブルを覆う革製のブランケットに指で触れた。図書館のスタッフは毎晩、閉館後に木製のテーブルの表面にブランケットを掛け、コウモリの糞《ふん》で汚れないようにしなければならない。

そんなことを思いながら、翼を持つ影が煉瓦造りの丸天井を背景に滑空する様子を眺めていると、シャーロットの心に迷信から来る恐怖がよぎる――それと同時に、ちょっとした楽しさも。

〈コウモリがいなければ魔女の集まりらしくないもの〉

今夜が選ばれたのにも特別な理由があった。一週間に及ぶ科学シンポジウムは今日が最終日だった。明日になれば出席者たちは帰国し、世界各地でそれぞれの友人たちや家族とクリスマスの休暇を過ごすことになる。けれども、今夜は市内で無数のかがり火が焚かれ、それに合わせてあちらこちらから音楽祭の陽気な調べが流れてくる。一年でいちばん長い冬至の夜を祝うためだ。

シャーロットは腕時計に目を落とした。予定よりも遅れてしまっている。大使館で開かれた休暇を祝うパーティー用のセミフォーマルな服装のままだ。下は黒のマキシ丈のスカート、上は青のブラウスにショートコートを羽織っている。髪は短く刈り込んだ状態だ。早くから白髪になってしまったし、九カ月前に化学療法を受けてからは短いままだし、抜けてしまった部分も放置してある。染めたり付け毛をしたりする気にはならない。癌とのつらい闘病生活を生き延びた後では、見栄を張るなんてくだらないとしか思えない。そんなことにまで気を回している余裕はない。

どっちみち、自由な時間がそれほどあるわけでもないし。

シャーロットは腕時計を見て顔をしかめた。

〈あと四分しかない〉

地球の裏側の南回帰線上で空に昇る太陽を思い浮かべる。太陽がその緯度の真上に達した瞬間が北半球から見た冬至点に当たり、その時を境にして冬から夏への動きが始まり、暗闇が光に道を譲る。

このデモンストレーションには格好の時だ。

概念実証を行なうための。

「フィアト・ルクス」シャーロットはささやいた。

〈光あれ〉

前方では明るい光がアーチ状の入口を照らし出していて、その先は図書館の下のフロアに通じる螺旋《らせん》階段につながっている。今いるフロアは、その美しさと歴史から「高貴な階」と呼ばれる。その真下の「中間の階」は司書たちの専用のフロアで、稀覯本《きこうぼん》の中でも最も珍しい蔵書の数々が、安全を考慮してそこで保管されている。

しかし、シャーロットの目的地はもう一つ下のフロアだった。

時間が迫っていることをひしひしと感じながら、シャーロットはアーチ状の入口に急いだ。

ほかの出席者たちはもう下に集まっているはずだ。シャーロットはこの図書館を建造したポルトガル王ジョアン五世の肖像画の下を横切り、建物の最下部のフロアまで通じる螺旋階段を下り始めた。

狭い螺旋階段を下っているうちに、低いささやき声が下から聞こえてくる。階段を下り切ったシャーロットは、頑丈な黒い鉄製のゲートの手前で立ち止まった。彼女のためにゲートは開け放たれたままだ。ゲートの上には「知の牢獄《ろうごく》」の標識が固定されている。

図書館の下に造られた牢獄のことを思い、シャーロットは笑みを浮かべた。反抗的な学生や、酒に酔った教授がここに閉じ込められている姿を想像する。かつて宮殿の地下牢の一部だったこのフロアは、一八三四年まで大学の牢獄としての機能を果たしていた。ここはポルトガルに唯一現存する中世の牢獄でもある。

シャーロットはゲートを通り抜け、地下牢に入った。このフロアの大部分は観光客に公開されているが、それ以外の鍵のかかった部屋は上のフロアに収まり切らない蔵書の倉庫として使用されている。シャーロットは地下牢の奥の、この中世の空間に現代が進出している場所に向かった。空いていた奥の部屋には新しいコンピューターシステムが設置されていて、本のデジタル化のための技術など、上で保管されている貴重な蔵書を保護するためのさらなる方法を提供している。

この冬至の日に、室内のコンピューター群は新しい役目を果たす——過去を保存するのではなく、未来をのぞき見るための機会をもたらす。

シャーロットが奥の部屋に入ると、女性の声が彼女を出迎えた。「ああ、カーソン大使。間に合ったのね」

真新しいネイビーブルーのスーツと白のブラウス姿のその女性は、ジョアニナ図書館館長のエリサ・ゲラだ。彼女はシャーロットに歩み寄ると、左右の頬に軽くキスをしながら、上腕部をぎゅっと握り締めた。小柄な館長の体中からは興奮がにじみ出ているかのようだ。

「間に合うかどうか、自信がなかったわ」シャーロットは申し訳なさそうに笑みを浮かべて説明した。「大使館は人手が足りないし、休暇前だから目が回るような忙しさで」

ポルトガル駐在のアメリカ大使のシャーロットには、今夜は果たさなければならない務めが数え切れないほどある。そのうちの一つは、深夜の飛行機で夫と二人の娘が待つアメリカに帰国することだ。長女のローラはシャーロットの母校でもあるプリンストン大学で生物工学の学位取得を目指していて、今は休暇で自宅に戻ってきている。次女のカーリーの方がおてんばで、ニューヨーク大学に通いながら音楽関係の道に進むことを夢見ているが、その一方で工学も学ぶという現実的な側面も持ち合わせている。

シャーロットは娘たちのことをこれ以上はないというくらい、誇りに思っていた。二人もここにいて、一緒にこの瞬間を目撃できればいいのにと思う。シャーロットが女性の科学者や研究者から成るこの組織の設立に力を貸した理由の一つには、娘たちの存在がある。この慈善団体は、ヨーロッパ各地の四十近い大学が名前を連ねるコインブラ・グループから誕生した。

科学界における女性たちの育成、後押し、ネットワーク作りに取り組もうと、シャーロットとここに集まったほかの四人の女性は、ブルシャス・インターナショナルを設立した。「ブルシャス」はポルトガル語で「魔女たち」を意味する単語だ。何世紀にもわたって、病気の治療を生業《なりわい》にしたり、薬草による療法を試したり、さらにはただ世の中のことに疑問を抱いたりした女性たちは、異端者または魔女と見なされてきた。学問の都として古くから有名だったここコインブラでも、女性たちが火あぶりの刑に処された。「信仰の行ない」を意味する「アウト・ダ・フェ」と呼ばれた不気味な一大儀式では、何十人もの棄教者や異端者がいっせいに焼き殺されたという。

そうした歴史の汚点から目をそらすのではなく、むしろそこから学ばなければならないと考え、シャーロットたちは胸を張って自分たちの組織を「ブルシャス」と命名した。

だが、ただ名前として使っただけではない。

エリサ・ゲラがすでにコンピューターを立ち上げていた。組織の記号が画面上でゆっくりと回転しながら光を発している。五芒星《ごぼうせい》を円で囲んだ模様だ。

星の五つの頂点はこの場にいる五人の女性を表している。彼女たちは六年前にコインブラ大学でこの組織を設立した当初からのメンバーだ。決まった代表者はいない。すべてのことを公平に投票で決定する。

シャーロットはエリサの先にいる三人の女性に笑みを向けた。ケルン大学のドクター・ハンナ・フェスト、東京大学の佐藤郁美教授、サンパウロ大学のドクター・ソフィア・ルイス。シャーロットが大使に任命されたのは去年のことで、それに関してはポルトガルに本部を置くこの国際組織の設立に際しての彼女の役割が少なからず関係しているのだが、それ以前はほかの女性たちと同じく研究者の地位にあり、プリンストン大学で教壇に立ちながら、アメリカ代表としてこの組織に参加していた。

国は違うものの、五人の女性はいずれも年齢が五十代で、それぞれの仕事でほぼ同時期に頭角を現した。その裏では女性ゆえのつらさを耐え忍び、同じような差別や蔑視《べっし》を経験してきた。科学に対する共通の関心以上に、そのことが彼女たちの絆になっていた。五人の目標は男女が平等な環境を作り出すこと、そして奨学金や指導を通じて若い女性たちが科学の道に進むのを後押しして導くことにある。

彼女たちの取り組みはすでに世界各地で大きな成果をあげていた――特にこの地では。

ハンナがコンピューターのキーボードの横に置かれたスティックタイプのマイクに顔を近づけた。「マラ、こちらは全員揃ったわ」ドイツ語訛《なま》りの強い英語で話しかける。「あなたの準備ができたら、いつでもデモンストレーションを始めて」

ハンナが後ずさりするのに合わせて、コンピューターの画面が二つに分割された。五芒星が小さくなって片側だけに表示され、もう半分にはマラ・シルビエラの若々しい顔が映し出された。マラはまだ二十一歳だが、弱冠十六歳でブルシャスの奨学金を受けてから、すでに五年間コインブラ大学で学んでいる。スペイン北部のガリシア地方にある小さな村で生まれ育ったマラだが、五年前に当時市販されていたどの製品をもしのぐ翻訳アプリを開発し、多くのハイテク企業から注目される存在になった。彼女にはコンピューターおよび言語の原則に関して、天賦の才能が備わっているようだ。

今も彼女の目の輝きからは鋭い知性がうかがえる。それとも、自信に満ちあふれているからなのか。濃いコーヒー色の肌とストレートの黒髪は、その家系にムーア人の血が流れていることを示している。現在、マラはキャンパスの反対側に位置する大学の高度コンピューター研究室内にいて、そこにはヨーロッパ大陸で最も高性能なスーパーコンピューターの一つ「ミリペイア・クラスター」が置かれている。

画面上のマラがわずかに視線を横に動かした。「シェネセの作動を開始します。一分以内にネットワークに接続します」

ほかの女性たちとともにコンピューターの近くに集まりながら、シャーロットは腕時計を確認した。

午後十時二十三分。

〈時間通り〉

シャーロットは南回帰線上で真上に達した太陽を再び思い浮かべた。冬至点を過ぎれば、暗闇の終わりと光の再来が約束される。

しかし、その前に大きな金属音が鳴り響き、全員がびくっと体を震わせながら音の方を振り返った。

フードをかぶったいくつもの暗い人影がひとかたまりになって、黒い鉄製のゲートから牢獄内になだれ込んでくる。各自の手に握られている大型の拳銃が光を反射する。侵入者たちは左右に広がり、五人の女性をコンピューター室の中に閉じ込めた。

この部屋にはほかに出入口がない。

喉元までせり上がってくるかのような心臓の鼓動を聞きながら、シャーロットは一歩後ずさりした。コンピューターのモニターを体で隠し、前を向いたまま背中側に手を伸ばすと、手探りしながらマウスをつかみ、クリックしてマラ・シルビエラの映像を画面上から消す。若い女性の身を守るため、それと同時に見えない目撃者となってもらうため。マイクとカメラはまだ作動しているので、マラはこれから起きる出来事を、見ることも聞くこともできるし、録画することだって可能だ。

相手が距離を詰める中、シャーロットは心の中でマラに対して警察を呼ぶように訴えかけたが、助けが間に合うように駆けつけてくれるとは思えない。目前に迫ったデモンストレーションのことで頭がいっぱいになっているはずのマラが、そもそも事態の変化に気づいているのかどうかも定かではない。

エリサ・ゲラが自らの図書館を守ろうと前に足を踏み出した。「これはいったいどういうこと？　何が望みなの？」

返ってきたのは沈黙だけで、そのことがさらに不安をあおる。

八人の襲撃者たちが二手に分かれると、九人目の人物が姿を現した。この男がリーダーらしい。二メートルはあろうかという背丈で、身にまとっているのは深紅のローブ、目のところだけが黒い布で覆われていた。黒のローブに深紅の目隠しというほかの八人とは配色が逆になっている。リーダーは武器を持っておらず、手にしているのは厚さ十五センチほどの本だけだ。すり切れた革製の表紙の色はローブと同じ濃い赤。表紙の金文字がはっきりと読み取れた。『魔女に与える鉄槌』

シャーロットはたじろいだ。希望がしぼんでいくのを感じる。それまではこれが一獲千金を狙ったただの強盗であってほしいと祈っていた。図書館の蔵書の多くには計り知れないほどの価値がある。だが、男の手の中の本が彼女を絶望の淵に突き落とした。ほんの数冊しか現存していない初版本のようだ。そのうちの一冊はこのジョアニナ図書館にも所蔵されている。エリサが眉をひそめていることから推測するに、男が持っているのはこの図書館の書架から勝手に持ち出したものかもしれない。

この本は十五世紀にハインリヒ・クラーマーという名前のカトリックの司祭によって書かれた。魔女や妖術師を特定し、迫害し、拷問にかける「魔女狩り」のための手引き書として作成され、人類の歴史上で最も忌まわしく血塗られた本の一冊だ。この本のせいで犠牲になった人の数は、推計で六万人以上と言われる。

シャーロットは仲間たちに視線を向けた。

〈今夜、新たに五人が加わることになる〉

リーダーの発した言葉が、シャーロットの恐怖を裏付けた。

「マレフィコス・ノン・パティエリス・ヴィヴェレ」

シャーロットはそれが出エジプト記の戒めの言葉だとわかった。

〈魔女を生かしておいてはならない〉

男はその先を英語に切り替えたが、声にスペイン語訛りがある。「シェネセが存在してはならない」男は平坦《へいたん》な口調で続けた。「あれは妖術とけがれから生まれた忌むべきものだ」

シャーロットは眉をひそめた。

〈どうしてこの男は私たちが今夜しようとしていたことを知っているの？〉

その謎を考えるのは後回しにしなければならない。拳銃をしっかりと向けられた状況に置かれた中で、襲撃者のうちの二人が二十リットルのタンクを一つずつ抱えて前に進み出た。タンクの側面には「Ｑｕｅｒｏｓｅｎｅ」の文字がある。ポルトガル語に堪能《たんのう》ではなくても、中身が何かは想像がつくし、男たちがタンクを逆さまにして狭い室内に液体をまき始めたからなおさらだ。

たちまちのうちに、灯油のにおいで息苦しくなる。

咳《せ》き込みながら、シャーロットは恐怖に怯えたほかの女性たちと顔を見合わせた。六年間にわたってチームとして作業を進めてきたので、お互いのことはよくわかっている。言葉にする必要はない。自分たちは磔台に縛り付けられているわけではない。ここで最期の時を迎えるにしても、この魔女たちは無抵抗では死なない。

〈焼かれるよりも撃たれる方がまし〉

シャーロットはリーダーに不適な笑みを見せた。「これでもくらえ、くそ野郎！」

五人の女性は床に広がる灯油を跳ね散らしながら、襲撃者たちに向かって突進した。狭い空間内に発砲音が大きく鳴り響く。シャーロットは体に何発もの銃弾が食い込むのを感じたが、勢いに任せてリーダーのもとまで達した。飛びかかって顔面をつかみ、爪を皮膚に食い込ませて相手の頬を深くえぐる。シャーロットはリーダーの目隠しを剝《は》ぎ取ったが、その下の目には激しい怒りがあるだけだった。

リーダーは忌まわしい本を落とし、シャーロットを突き飛ばした。シャーロットは灯油が広がりつつある石の床の上に倒れた。片手で支えながら体を起こし、室内を見回すと、恐ろしい光景が目に飛び込んでくる。ほかの四人の女性は床に転がっていて、ぴくりとも動かない。仲間たちの血が灯油を赤く染めていく。

急速に力が抜けていくのを感じ、シャーロットも床に倒れ込んだ。

リーダーがスペイン語で悪態をつき、命令を発する。

六人の部下がローブの下から火炎瓶を取り出し、手際よく火をつけていく。

シャーロットは火炎瓶を無視した。体が冷たくなるのを感じ、これから訪れるはずの熱への恐怖が消えていく。室内を見回したシャーロットの目は、薄れゆく視界の中である動きをとらえた。コンピューターの画面上でブルシャスの記号がぐるぐると回転している。さっきまでと比べるとかなり速い。まるでここで起きた出来事に動揺しているかのようだ。

不思議に思い、シャーロットはぼやけた記号を見つめた。

マラが何とかして合図を送ろうとしているのだろうか？

火炎瓶が投げ込まれ、壁に当たって粉々に砕ける。炎が高く燃え上がる。熱が体を包み込む。

それでもなお、シャーロットは炎の向こう側を見つめ続けた。

画面上の記号はなおも高速で回転を続けている――次の瞬間、不意に回転が止まる。だが、中心部分は元の形を保つことができない。記号の一部が剝がれ、ばらばらになっていく。

リーダーが横たわったままのシャーロットに歩み寄った。同じ謎に目を凝らしているようだ。床に倒れた姿勢からは相手の表情までは確認できないものの、リーダーが当惑して

いる様子はうかがえる。

五芒星のうちで残っているのは星の頂点のうちの二つを構成していた部分だけで、あたかも悪魔の角のように見えた。

同じことを感じたのか、男が体をこわばらせた。明らかに不快感を覚えた様子だ。リーダーは指差しながら後ずさりした。大声のスペイン語が聞こえる。「コン……コンピューターを破壊しろ」
だが、その指示は間に合わなかった。記号がなおも変化を続け、反時計回りに九十度回転した。

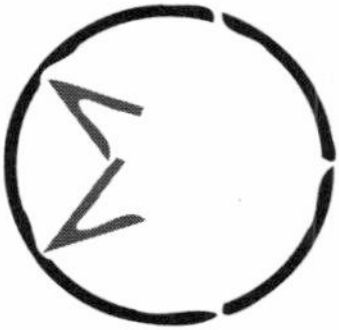

銃声が鳴り響き、銃弾が炎を貫く。コンピューターの画面が砕け散り、真っ暗になった。床に突っ伏したシャーロットも、周囲が同じように暗くなっていくのを感じた。その先にあるはずの光を探し求めながら。マラの無事を祈りながら。

それでも、薄れゆく意識の中で、あるイメージだけが頭から離れなかった。シャーロットの心の目にしっかりと焼きついている。それは画面に映っていた最後の記号。粉々に砕け散る直前、五芒星を囲んでいた円が消え、新たな記号が画面いっぱいに広がった。

ギリシア文字のように見えた。

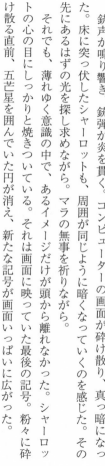

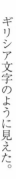

〈シグマ〉

シャーロットにはそれが何を意味するのかわからなかったものの、何らかの意図を持っているかのような動きが、死を目の前にした彼女に希望を与えた。

世界のための希望を。

第一部　機械の中のゴースト

1

十二月二十四日　東部標準時午後九時六分
メリーランド州シルヴァースプリングス

空中で回転する硬貨を見ているうちに、グレイソン・ピアース隊長は次第に恐怖がふくらむのを感じた。すぐ隣のスツールに座る親友のモンク・コッカリスが、マホガニー材のバーカウンターの上に二十五セント硬貨を高くはじいたところだ。

『クウォリーハウス・タヴァーン』のほかの客たちは二人のまわりに集まり、酔っ払って大声で騒ぎ立てながら、硬貨が落ちてくるのを待っていた。店内の奥では、少人数のバンドがロカビリー調にアレンジした〝リトル・ドラマー・ボーイ〟を大音量で奏でている。バスドラムの重厚な響きが肋骨《ろっこつ》内に反響し、グレイの緊張を高めた。

二十五セント硬貨がほの暗い店の照明に反射して輝くのに合わせて、モンクが宣言した。「表！」

これが十三回目のコイントス。

それまでの十二回と同じように、二十五セント硬貨はモンクの手のひらの上に落下した。ジョージ・ワシントンの横顔が輝いているのをはっきりと確認できる。

「そら見ろ、表だぜ！」そう伝えるモンクの声は、ややろれつが回っていない。

集まった人たちの間から、モンクが当たる方に賭けたか、それとも外れる方に賭けたかによって、歓声とうめき声が湧き上がる。これでモンクは十三回連続して当てたことになる。「表」と宣言したこともあれば、「裏」と宣言したこともあった。正解するたびに、モンクとグレイには飲み物のお代わりが無料でふるまわれた。

バーテンダーが店のマスコット――季節に合わせて赤いサンタクロースの帽子をかぶっているイノシシの頭の剝製《はくせい》の下で首をすくめながら、ギネスのピッチャーを運んできた。

濃い色の液体がそれぞれのジョッキを満たしている時、大柄な男が二人の間に無理やり体を割り込ませてきたので、グレイは危うくスツールから転げ落ちそうになった。男の息からはウイスキーと肉の脂のにおいがする。「いんちきだ……とんでもないいんちきだ。こいつは偽の二十五セント硬貨を使っているのさ」

男はモンクの手から硬貨をひったくり、血走った目で調べ始めた。

別の客――言いがかりをつけてきた酔っ払いの友人と思われる人物が、男を引き離そうとする。二人はよく似たタイプだ。年齢はともに二十代後半、同じブレザーの袖をまくって着ていて、きちんと整えた髪型も同じだ。〈ロビイスト、それとも弁護士だろうか〉グレイは想像した。いずれにしても、彼らが大学時代からの仲間だろうということは、顔にはっきりとそう書いてあるかのように一目でわかる。

「よせよ、ブライス」二人のうちでまだ酔いが回っていない方の男がなだめた。「この男は六枚の二十五セント硬貨を使ったじゃないか。五セント硬貨を代わりに使ったこともあったぞ。いんちきのはずがない」

「うるさい。こいつはペテン師だ」

押さえつける友人の手を振りほどこうとするうちに、ブライスの足もとがふらついた。バランスを取ろうとして手を振り回した拍子に、肘がグレイの顔面にぶつかりそうになる。グレイはかろうじて体をそらしてよけた。肘が鼻先をかすめるように通過する。男の腕はトレイを肩に載せて運びながらたまたま通りかかったウエイトレスの脇腹を直撃した。トレイの上のグラスと皿と食べ物――テイタートッツとフライドポテト――が飛び散る。

グレイはすぐに立ち上がり、若い女性の腰に手を回して体を受け止めた。倒れないように支えながら、バーカウンターにぶつかって砕け散るグラスの破片から守ってやる。

モンクもすでにスツールから立っていて、酔っ払いと体がくっつかんばかりの距離にいた。「引っ込んでな、坊や。どうなっても知らないぞ」

「はあ？　どうなるっていうんだ？」ブライスは聞き返した。脅し文句もまったく効果がなかったようだ。モンクのスキンヘッドのてっぺんが自分の肩の高さにあるのだから、それも無理はない。

モンクはブライスをにらみつけるために首を上にねじ曲げなければならなかった。しかも、厚手のウールのセーターを着ているため、グリーンベレーでの年月で鍛え上げた強靭《きょうじん》な肉体が隠れて、ちょっと小太りの体型に見えてしまう。そのうえ、妻のキャットからプレゼントされたセーターの前面には派手なクリスマスツリーの模様があるから、なおさらブライスが大人しく引っ込むとは思えない。

緊張が高まる一方だということに気づき、グレイは女性から手を離した。「大丈夫か？」ウエイトレスはうなずき、対峙《たいじ》する二人の男性から後ずさりした。「ええ、ありがとう」バーテンダーが身を乗り出し、出口を指差した。「おまえら、やるなら外でやってくれ」ほかのブライスの友人たちも続々と二人のまわりに集まり、仲間に味方しようと身構えている。

〈まいったな〉

グレイはモンクを引き離そうと、ブライスの体越しに手を伸ばしかけた。「ここから出ようぜ」

だが、グレイの手がモンクをつかむよりも早く、誰かに後ろから押された。おそらく仲間のうちの一人が、グレイがブライスにつかみかかろうとしていると勘違いしたのだろう。グレイがブライスにぶつかると、すでに気が立っていた男はさらに怒りを募らせた。

ブライスがわめきながら、大振りのフックをモンクの顎《あご》に向かって繰り出す。

モンクはパンチをかわし、相手の拳を手のひらで受け止めた。

ブライスがせせら笑いを浮かべ、ジムで鍛えた両肩の筋肉をふくらませながら拳を引き抜こうとする。その時、モンクの手が相手の拳を握り締めた。ブライスの浮かべる軽蔑《けいべつ》の笑みが、たちまち苦痛に歪む。

モンクが指にぐっと力を込めると、ブライスがたまらず片膝を突く。ブライスの拳をつかむモンクの手は義手で、最新の軍事技術が組み込まれている。本物の手とほとんど見分けがつかず、それでいてクルミを簡単に握りつぶすこともできる——乱暴な酔っ払いの骨をへし折るなど朝飯前だ。

今度は床に膝を突いたブライスがモンクの顔を見上げる番だった。

「もう一度だけ言うぞ、坊や」モンクは警告した。「引っ込んでな」

ブライスの仲間の一人が加勢しようとしたが、グレイは肩で相手の体をブロックしながら、氷のような冷たい視線を向けた。モンクとは違い、身長一メートル八十センチのグレイの肉体は厚手のセーターの下に隠れておらず、サイズが小さめの長袖のジャージでむしろ強調されている。しかも、グレイはこの二日ほどひげを剃っていない。黒っぽい無精ひげのせいで普段から厳しい顔つきがいっそう険しく見える。

肉食動物の存在を感じ取ったのか、ブライスを守ろうとした男は後ずさりした。

「これで手打ちにするか？」モンクは囚《とら》われの身も同然の相手に訊ねた。

「ああ、わかった、そうしよう」

モンクは相手の体を横に突き飛ばしてから、ブライスの拳を離した。倒れたブライスをにらみつけながら相手の体をまたいだものの、グレイと目が合うとウインクをしながら前を通り過ぎた。「さあ、やっと出られる」

モンクの後を追おうとしたグレイが察知した唯一の気配は、ブライスの顔つきが険悪になったことだった。友人たちの目の前で赤っ恥をかかされ、何とか一矢報いなければならないと思ったに違いない。ウイスキーと男性ホルモンという危険な組み合わせで頭に血が上り、ブライスが勢いよく立ち上がった。不意を突いてモンクの背中に飛びかかろうとする。

〈もういいかげんにしてくれ……〉

グレイは目の前を突進するブライスの手首をつかんだ。相手の体重と勢いを利用してつかんだ手首をねじり、腕を背中側に回して固定する。肩の回旋筋腱板を損傷させないように注意しながら、グレイはブライスをつま先立ちの状態にして動きを封じた。

これで大人しくなるはずだと思い、グレイは男を下ろそうとした。だが、ブライスはあきらめない。もがきながらグレイに肘打ちをお見舞いしようとする。激しい怒りに我を忘れた状態だ。

「くそったれめ、友達と俺でおまえたちのことをこてんぱんに――」

〈手加減してやれるのはここまでだな〉

グレイはつかんだ腕をさらに強くねじった。ポンという音とともに肩の関節が外れ、はっきりと聞こえたその音に合わせて、男の口からあふれ出る威嚇《いかく》の言葉が痛みで途切れる。

「あとは任せた！」グレイは叫ぶと、ブライスを友人たちの方に押しやった。

誰一人として彼を受け止めようとしない。

苦痛の悲鳴をあげながら、ブライスは床にひっくり返った。グレイは男の仲間たちをにらみつけ、無言のまま来るなら来いという意思を示した。カウンターの奥の鏡に映る自分の姿が目に留まる。アッシュブラウンの伸びた髪はぼさぼさだ。顔が半ば陰になっている分、淡い青色の瞳が脅しをかけるかのようにより引き立って見える。

危険を察知したのか、男たちは店の奥に引き下がった。

問題が解決したことに満足すると、グレイは背を向けて店の外に出た。モンクは店の前の階段のところにいる。底なしの胃袋の持ち主として悪名高いグレイの友人は、隣のインド料理店のネオンサインを見つめていた。

モンクはグレイの方を振り返らずに訊ねた。「何をぐずぐずしていたんだ？」

「おまえが始めたことの後始末をしていたのさ」モンクは肩をすくめた。「おまえにはちょっと発散する機会が必要じゃないかと思ったんでね」

グレイは顔をしかめたが、何杯ものジョッキを重ねたギネスビールよりも小競り合いの方が気晴らしとしてははるかに役立ったことは認めざるをえない。

モンクは隣のレストランの看板を指差して何か言いかけたが、グレイは遮った。「考えようともしないでくれ」歩道に向かいながら腕時計を確認する。「それに四人の女性が俺たちのことを待っているんだし」

「確かにそうだ」グレイがタクシーを止める横にモンクも並んだ。「しかも、そのうちの二人はおやすみのキスをしないと寝てくれないからな」

モンクの言う二人とは、彼の娘たち――ペニーとハリエットのことで、グレイとモンクのそれぞれにとって大切な女性が面倒を見ている。モンクの妻のキャットは、娘たちを連れてワシントンDC郊外のタコマパークにあるグレイの自宅を訪れていた。モンクの家族は一晩泊まっていき、グレイと妊娠八カ月目になるセイチャンと一緒にクリスマスの朝を迎える予定になっている。男たち二人は夜のまだ早い時間に家から追い出された。キャットはプレゼントのラッピングをするための時間が必要だからと言い訳していたが、グレイはかつて情報機関に所属していたキャスリン・ブライアント大尉の説明の裏にある真意を簡単に見抜いていた。このところセイチャンはいつになくぴりぴりしていて、これから訪れることへの不安を感じているのは明らかだったが、キャットはそんな彼女と二人きりで――出産経験のある母親と、出産を間近に控えた母親の間で、ゆっくり話をしたいと考えていたのだろう。

その一方でグレイは、今夜の外出が自らの気持ちを落ち着かせるという目的もあったのではないかという気がしていた。グレイは手を伸ばして友人の上腕部を握り、無言で感謝を伝えた。モンクの言う通りだ。自分にはちょっとした気晴らしが必要だったのだ。

タクシーが歩道脇に停車すると、二人は車に乗り込んだ。

車が走り出すと、グレイはうめき声をあげながら座席の背もたれに頭を預けた。「こんなに飲んだのはずいぶんと久し振りだな」モンクに向かってとがめるような視線を向ける。「おまえが最新の装置でビールをまんまとせしめているなんて、ＤＡＲＰＡは知りたくないと思うぞ」

「それはどうかな」モンクはどこからともなく硬貨を取り出し、指ではじいた。「微細運動機能の訓練を怠らないようにと言われているんだ」

「だけど、あの酔っ払いの坊やの言う通りだ。いんちきじゃないか」

「技能を磨いたんだからいんちきじゃないさ」

グレイはあきれて目を丸くしたが、そのはずみでタクシーの車内がぐるぐる回ったような気がした。モンクが脳と装置をつなぐ実験的なインターフェースの埋め込み手術を受けたのは五カ月前のことだ。十セント硬貨ほどの大きさの微小電極アレイを脳の感覚野に接続することで、モンクは考えるだけで新型の神経義手を動かせるばかりか、義手が触れたものを「感じる」こともできるようになった。空間内の物体を今までにも増して正確に感じ取ったり操作したりが可能になったことで、モンクは運動制御の微調整ができるようになり、ついには硬貨をはじく時の力の入れ加減で、落ちる時にどちらの面が上になるか、正確にわかるまでになったのだった。

最初のうちはグレイもこの「トリック」を楽しんでいたが、コイントスを繰り返すたびにそこはかとない不安が募っていった。その理由まではわからない。かつて愛していた女性を失ったことと関係があるのかもしれない。彼女は硬貨の表が出るか裏が出るかの違いのせいで命を落とした。それとも、コイントスとは何の関係もなく、もうすぐ父親になることへの不安がふくらんでいるだけなのかもしれない。グレイは自身の父との関係が良好とは言えなかった。グレイの父はすぐにかっとなる性格で、同じ気質を持つ息子とは何かと衝突してばかりいた。

グレイの耳にさっきの酔っ払いの肩関節が外れた時の音がよみがえった。怪我《けが》を負わせることなく相手を大人しくさせられたはずなのに、どうしても自分を抑えられなかった。それがわかっているからこそ、疑念がつきまとう。

〈俺はどんな父親になるのだろうか？　自分の子供に何を教えればいいのだろうか？〉

グレイは目を閉じ、タクシーの車内が回り続けている感覚を止めようとした。今わかっているのは、家に帰れるのがうれしいということだけだ。グレイはセイチャンのことを思い浮かべた。妊娠八カ月に入ったセイチャンは目を見張るほど美しい。妊娠によってより魅力的に、より官能的にすらなった。グレイは妊娠中の女性が光を発しているように見えるという話を聞いたことがあったが、月の経過とともにそのことを実感できるようになった。ヨーロッパとアジアの血が混じっていることを示す彼女のアーモンド色の肌は、今では思わず息をのむような輝きを放っている。エメラルド色の瞳は熱く燃え、黒髪は空を飛ぶカラスの翼のようにきらめく。セイチャンは妊娠後も運動とストレッチの厳しいメニューを守り続けているため、その体は強く柔軟で、あたかも全身を鍛え上げることで体内に宿る命を守ろうとしているかのように見える。

隣に座るモンクがささやいた。「裏」

グレイは目を開き、友人の手の中の硬貨を見た。手のひらの上ではジョージ・ワシントンの横顔が光を反射している。グレイはモンクに向かって片方の眉を吊り上げた。

モンクは肩をすくめた。「さっきも言ったように、まだ訓練が必要なのさ」

「無料のビールがかかっていないとだめなんじゃないのか？」

「おいおい、ぶつぶつ言うなよ。五セントでも十セントでも二十五セントでも、小銭を無駄にしない方がいいぞ」モンクが再び硬貨をはじいた。「パンパースの値段も馬鹿にならないからな」

友人の警告のせいなのか、それともコイントスにまつわる何かのせいなのか、グレイはまたしても一抹の不安を覚えた。それでも、車が角を曲がって自宅の前の通りに入ると、そのおかげで気持ちが落ち着いた。

道の両側にはのどかな住宅街が連なり、趣のあるヴィクトリア様式の建物とクラフツマン様式の住宅が混在している。夜になって気温が下がり、冷たい霧がかかっていた。夜空の星の輝きはどこか弱々しく、一続きになったクリスマスの電飾や、庭に飾られたトナカイのイルミネーションや、窓の奥に見えるクリスマスツリーの明るい光にはとても勝てそうにない。

タクシーが自宅の前に停車すると、グレイは玄関先に吊るされたつららの電飾が淡い光を放ちながら点滅しているのを眺めた。飾り付けは二週間前にモンクが手伝ってくれた。グレイはここで家族と暮らす自分の姿を思い浮かべた。庭でキャッチボールをしたり、すりむいた膝小僧に絆創膏《ばんそうこう》を貼ってやったり、通知表を眺めたり、学校で上演される劇を見にいったり。

けれども、それが現実になるのだと信じようとすればするほど、グレイはそう思えなくなった。どれもこれも、ありえないことのように感じられる。多くの血でこの手を汚してきた自分が、どうして普通の生活を送れるだろうか？

「様子がおかしい」モンクが言った。

不安に気を取られていたせいで、グレイは気づくのが遅れた。クリスマスツリーの飾り付けはセイチャンと二人ですませていた。二人で一緒に行なった初めての飾り付けだ。何週間もかけて電飾を選び、ツリーのてっぺんにはスワロフスキーの天使を付けることにした。あきれるほど高い値段だったが、セイチャンはそれだけの価値があると、これが家族の宝物になるのだからと主張した――それもまた、二人にとっては初めてとなる宝物だ。クリスマスツリーは正面の張り出し窓のところに設置した。

それがなくなっている。

正面玄関の扉が開いたままだ。通りから見ても、戸枠が割れているのを確認できる。グレイは運転手の方に身を乗り出した。「警察に連絡してくれ」

モンクはすでにタクシーから飛び出し、玄関の方に向かっている。

グレイも足首のホルスターからシグ・ザウエルＰ３６５を取り出すと、すぐにモンクの後を追った。恐怖が全身を締め付ける中、グレイはずっと自分が正しかったことを悟った。

自分は絶対に普通の生活を送ることなどできない。

午後十時十八分

モンクはポーチに通じる段を一気に駆け上がった。心臓が激しく脈打ち、息苦しさを覚える。拳以外の武器を持たないまま、玄関の扉を走り抜ける。五年間に及ぶグリーンベレーでの訓練を通じて、状況を即座に判断する術は身に着けている。感覚を研ぎ澄まし、すべてを一呼吸するうちに把握する。

……張り出し窓のところでひっくり返ったクリスマスツリー。

……コーヒーテーブルの上で割れたグラス。

……真っ二つに折れたアンティークのスティッククレーのコート掛け。

……二階に通じる階段の手すりに突き刺さった鋼鉄製のダガーナイフ。

……壁の手前で丸まったラグマット。

すぐ後ろから、グレイが両手に握った黒い拳銃を前に突き出して飛び込んできた。モンクの耳が、皮膚が、全身の感覚が、重苦しい沈黙をとらえる。

〈ここには誰もいない〉

直感的にわかる。

それでも、グレイが階段の方に向かって顎をしゃくった。モンクが階段を一度に三段ずつ駆け上がる一方で、グレイが一階の捜索を開始する。もう娘たちは寝ているはずの時間だ。モンクは七歳になるペネロペの顔を思い浮かべた。赤みがかったブロンドの髪をツインテールにまとめ、踊るトナカイの模様が入ったクリスマス用のパジャマ姿。一方、鳶《とび》色の髪をした妹のハリエットは、二歳年下だがどこか大人びていて、いつも世の中について疑問を抱いているような顔をしている。

モンクはまずゲストルームに駆け込んだ。娘たちはそこで派手なラッピングのプレゼントやキャンディケーンの夢を見ているはずだ。だが、部屋にはきちんと整えられたベッドがあるだけで、誰も寝た形跡はなく、娘たちの姿もなかった。モンクは二人の名前を呼びながら、クローゼットを調べ、ほかの部屋も見て回ったが、結果は同じだった。

恐れていた通りだ。

〈いない……みんないなくなってしまった〉

吐き気が襲いかかり、視界が狭まっていく中、モンクはふらふらと階段を下りた。

「グレイ……」半泣きの声で呼びかける。

返事は建物の奥の方から聞こえてきた。裏庭に面してこぢんまりとしたキッチンがある方角だ。「こっちだ！」

モンクは荒らされたリビングルームを走り抜け、斜めにずれたダイニングテーブルの脇を通り過ぎた。椅子が二脚、横倒しになっている。モンクは家宅侵入後に発生したに違いない激しい争いを想像しないようにした。

キッチンに駆け込んだモンクは、争いの形跡がよりはっきりと残っていることに気づいた。冷蔵庫の扉が開けっ放しになっている。床一面や中央のアイランドキッチンには、ナイフやフライパンや割れた食器が散乱している。食器棚の扉は片方の蝶番《ちょうつがい》だけでかろうじてぶら下がっていた。

すぐにはグレイの姿が見えなかったモンクだが、アイランドキッチンを回り込むと、友人はハードウッドの床に両膝を突いていた。その手前に人が倒れている。

モンクは思わず息をのんだ。

〈キャット〉

グレイが顔を上げた。「彼女は生きている……脈は弱いが、息をしている」

モンクは崩れ落ちるように床に座った。妻を胸に抱きかかえようと、とっさに両腕を伸ばす。

グレイが制止した。「動かしてはだめだ」

モンクは危うく友人を殴りそうになった。何かをぶん殴らないことには気がすまない。だが、グレイの言う通りだった。

キャットの両腕には複数の裂傷があり、濃い色の血が出ている。同じ色の液体が鼻と左耳からも流れていた。目は半分開いているが、白目をむいた状態だ。モンクの目の端がステンレス製のミートハンマーをとらえた。重量のある調理器具の片側には鳶色の髪の毛——

キャットのと同じ色の髪の毛が、血とともにこびりついている。

　モンクは両手で妻の手首をそっとつかんだ。義手の指先で脈を探る。研究所で開発された皮膚は人間の皮膚よりもはるかに感度が高い。モンクはキャットの心臓の鼓動を測りながら、心室と心房が収縮する様子を思い浮かべた。続いて義手を妻の人差し指の方に動かし、その先端を自分の二本の指先で挟む。頭の中で指示を送り、一方の指先の小型赤外線ライトと、もう一方の指先の光センサーを作動させた。キャットの指先に広がる光が、彼女の動脈血中の酸素飽和度の大まかな値を測定してくれる。

　九十二パーセント。

　申し分のない値ではないが、とりあえずは問題ないだろう。ただし、これよりも下がる場合には酸素吸入の必要が生じる。

　グリーンベレー時代のモンクは衛生兵だった。その後も研鑽《けんさん》を積み、今では医学とバイオテクノロジーが専門だ。モンクとグレイは、キャットおよびセイチャンとともに、国防総省の研究・開発部門に当たるＤＡＲＰＡ（国防高等研究計画局）傘下の秘密組織シグマフォースに所属している。グレイのガールフレンドを除くと、三人はいずれもかつては特殊部隊の隊員で、密かにシグマに引き抜かれた後、ＤＡＲＰＡの実戦部隊として活動するために様々な科学分野の再訓練を受けた。その任務はアメリカ合衆国と世界をあらゆる種類の脅威から守ることにある。

グレイはすでに衛星電話を手に持ち、シグマの司令部と連絡を取ろうとしていた。

「セイチャンは？」モンクは訊ねた。

グレイは首を横に振った。その表情からは強い怒りと不安がうかがえる。

モンクがキッチンの扉に視線を移すと、開け放たれた出入口の向こうに暗い裏庭が見える。妻は娘たちを守ろうと決死の覚悟で戦ったに違いない。「セイチャンが娘たちを連れて逃げる間、キャットが襲撃者たちを食い止めていたとか？」

グレイも外の暗がりに目を向けた。「俺も同じことを考えた。キャットの様子を調べた後、セイチャンの名前を大声で呼んだ」再び首を左右に振る。「逃げたのなら、そんなに遠くまでは行かないはずだ」

〈つまり、グレイの声が聞こえたはず〉

「犯人が彼女を追いかけたのかもしれない」モンクは言った。「もっと遠くへ逃げざるをえなかったんだ」

「そうかもしれない」グレイの声からは期待が感じられない。

〈つまり、おそらくそうではないということだ〉

モンクは理解した。セイチャンは元暗殺者で、その能力はキャットに引けを取らない。しかし、妊娠八カ月の体で、恐怖に怯えた二人の子供と一緒のところを追われたら、遠くまで逃げられるはずがない。

セイチャンと娘たちは捕まったものと考えなければならない。

〈しかし、誰によって？　それになぜ？〉

グレイがキッチンに散乱する残骸を見回した。「襲撃は素早く、しかも統率が取れていて、正面と裏口の両方から同時に行なわれたに違いない」

「ということは、地元のちんぴらどもがプレゼント目当てに襲ったわけではなくて……」

「ああ。俺は家の中のあちこちに拳銃を隠してある。セイチャンは襲撃直後に制圧されたか、あるいは子供たちがいる中での銃撃戦を避けたかのどちらかだろう」

モンクはうなずいた。自分も自宅に同じような用心をしている。職業柄、残念なことにそうした配慮が欠かせない。

シグマの司令部に電話がつながると、グレイはモンクにも通話内容が聞こえるようスピーカーフォンに切り替えた。すぐにペインター・クロウ司令官が電話に出る。グレイは要点を押さえながら事の次第を伝えた。

冷え込んだ夜の町に響くサイレンの音が、遠くから近づいてくる。

「キャットを病院に運べ」ペインターが指示した。「彼女を安全な場所に連れていくんだ――その後でグレイ、君にはただちにこっちまで来てもらいたい」

グレイがモンクと顔を見合わせた。「なぜです？」

「この襲撃のタイミングを考えると、偶然の一致だとは思えない」

グレイが眉をひそめた。「どういう意味ですか？」

モンクは電話に顔を近づけた。答えを知りたい――答えが必要だ。キャットの傍らでひざまずいたまま、モンクはリビングルームの方に、倒れたクリスマスツリーの方に目を向けた。ハードウッドの床に転がるクリスタルが、建物内に差し込むポーチの明かりを反射してきらめいている。

天使の像だ。翼が折れ、壊れてしまっている。

モンクの指がキャットの手を握り締める。

ペインターからは慰めも希望も返ってこなかった。司令官の声から聞き取れたのは不安だけだった。

「とにかく、こっちまで来てくれ」

2

十二月二十五日　西ヨーロッパ時間午前五時十七分
ポルトガル　リスボン

〈我思う、ゆえに我あり〉

マラ・シルビエラは十七世紀のフランスの哲学者ルネ・デカルトによる命題を思い、顔をしかめた。

「そんなに単純な話ならいいんだけど」つぶやき声が漏れる。

マラはホテルの一室のテーブルに置いたラップトップ・コンピューターの前で背中を丸め、床の上の黒いケースとつながっているUSB-Cのケーブルを指先で探った。

クッションを敷いたケース内には、容量十六テラバイトの二・五インチSSD「PM1633a」が十二台、収納されている。マラはソリッドステートドライブが損傷を受けていないことを、中のデータが壊れていないことを祈った。四日前の夜のパニックを思い出す。図書館が襲撃を受けた後、マラは自分の作品を守ろうとした。嗚咽《おえつ》が全身を震わせ、涙が視界を曇らせる中、コインブラ大学の研究室内にあるミリペイア・クラスターから必死の思いでドライブを引き抜いた。

今でもあの時の銃声が耳について離れない。マラの呼吸が乱れ始めた。USB-Cのケーブルを指でつかみ、ラップトップ・コンピューターに接続しようとするものの、なかなかうまくいかない。涙がまぶたを濡らす。マラは五人の女性の死を思い返した。あの人たちはいろいろなことを教えてくれた。ブルシャス・インターナショナルというグループを介して、奨学金を全額支給してくれた。あの頃、マラはまだ十六歳で、生まれ故郷のオ・セブレイロという村の外の世界はほとんど見たことがなかった。ガリシア地方の寒村はスペイン北部の山間部の高地に位置していて、その歴史はケルト人の時代にまでさかのぼる。道には丸石が敷かれていて、ほとんどの家屋は「パジョサ」と呼ばれる円形の藁葺《わらぶ》き住居だ。

それでも、衛星放送やインターネットを通じて、昔のままの村にも現代世界が入り込んできていた。そのおかげで、六歳の時に癌で母を失い、その後は悲しみに暮れる父に育てられた内気で孤独な少女でも、村の外の世界を見るための窓が手に入ることになる。成長期には舌足らずなしゃべり方だったせいで、マラは同年代の子供たちと一緒の時は口をきかなかった。ほとんどの時間を読書に費やし、会話をするのはインターネットのチャットルームやフェイスブックを通じてだけだった。世界への扉は開かれていたので、もっと幅広い人たちと意思の疎通を図ろうと語彙《ごい》を増やしていった。最初はロマンス語系の言語を、続いてアラビア語、中国語、ロシア語を習得した。初めのうちはどれも大きく違っているように思えたもの、マラはすぐに発話パターンや言葉遣い、さらには単語や語句にも、ある傾向が存在していることに気づく。すべての言語に隠れた共通性が見られるのに、彼女のほかには誰一人としてそれを認識していないように思えた。

　マラはそのことをソーシャルメディア上の友人たちに説明しようと試み、続いて証明してみせようとした。その目的のためには、ＢＡＳＩＣ《ベーシック》、ＦＯＲＴＲＡＮ《フォートラン》、ＣＯＢＯＬ《コボル》、ＪａｖａＳｃｒｉｐｔ《ジャバスクリプト》、Ｐｙｔｈｏｎ《パイソン》など、新たに複数の言語を習得する必要があった。マラは本を読みあさり、オンラインのコースを受講した。彼女にとってこうしたコンピューター言語はコミュニケーションのための別の手段にすぎず、自分の考えを処理して他人が理解できるような形で出力するための道具のようなものだった。

　その実現のために、マラはｉＰｈｏｎｅ用の翻訳アプリを開発し、それを「Ａｌｌ《オール》 Ｔｏｎｇｕｅｓ《タングズ》」と名づけた。彼女の頭にあったのは、人が使うための汎用《はんよう》ソフトの開発ではない――もっとも、このアプリはそれまでに発表されていたほとんどの翻訳プログラムよりも、その機能においてははるかに優れていた。彼女の目標はもっと重要なテーマ――数多くの言語の中には人間の思考をコミュニケーションと結びつける共通の道筋が埋もれているると証明することだった。そのため、彼女はこの0と1から成る新たな言語を使用し、世界に向けて示した。

そして、世界がそのことに注目した。

最初に仕事のオファーを持ちかけたのはグーグルで、マラがまだ十六歳だとは知らずに連絡してきた。続いてブルシャス・インターナショナルから奨学金の申し出があった。〈あなたが才能をいかんなく発揮するための手伝いをしたいの〉ドクター・シャーロット・カーソンはこの提案を直接伝えるために、わざわざオ・セブレイロまで足を運んでマラのもとを訪ねた。

マラは長旅で疲れてほこりまみれになったドクター・カーソンが、自宅のパジョサの戸口に立っていた時の姿を思い返した。彼女が癌と診断される前で、そんな大旅行をする体力があった頃のことだ。シャーロットが手を差し伸べた女の子たちはほかにもいる。ドクター・カーソンは才能の持ち主を集め、科学の知識を育んでくれた。彼女の二人の娘――ローラとカーリーも、母親の背中を見ながら科学の道を志していた。

マラは同じ二十一歳のカーリーと親友になった。別の大陸で暮らしているものの、二人はほとんど毎日のように会話をしたり、メールでやり取りしたりしている。チャットの内容は科学や先生や学校についてのこともあるが、心の問題の謎を解明しようとすることに多くの時間が割かれていて、その話題は若い男の子たちの不思議なまでの愚かさから、デートの場所の耐えがたいまでの平凡さにまで及んでいた。人間の言語に共通点があるのと同じように。素直に愛を伝えようとすることの怖さと恥ずかしさも万国共通らしい。

カーリーはマラが最初のうちはどうしても理解できなかったことの素晴らしさを教えてくれた。それは音楽だ。カーリーと知り合う前のマラは、ポップス界のアイドルや音楽の最新の流行にはほとんど関心がなかった。けれども、カーリーから送られてきたたくさんの曲を聴き、パンドラやスポティファイの深みにはまるうちに、夢中になっていた。ここでもマラは共通点に気づいた。ベートーヴェンの協奏曲の中のある曲に、最新のラップとの数学的および数量的な関連性が見て取れることもあるのだ。それがきっかけで、彼女は音楽理論について、さらには音楽理論と心の理論——人工知能に関する自らの研究に欠かすことのできない概念——の直接的なつながりについて、学ぶようになった。

事実、この変わった結びつきが、彼女の作品における重要な突破口につながったのだ。だが、カーリーには感謝してもし切れない一方で、マラは襲撃事件以来、友人とはまだ連絡を取っていなかった。

マラは目を閉じ、体の奥深くから湧き上がってくる悲しみを抑えつけようとした。うっかりしていると悲しみの波にのみ込まれてしまいそうだ。再び銃声が耳にこだまし、血と倒れる女性たちの映像が現れる。まぶたによみがえるのは死んでいく大切な人たち。あの後、マラは自分の身も危ないと思い、必死に逃げた。大都会ならば人混みに紛れられると考え、リスボン行きの列車に飛び乗った。リスボンに着いてからは四日間で三回ホテルを変え、そのたびに偽名を使い、支払いは現金ですませた。

誰を信頼したらいいのか、マラにはわからなかった。

けれども、カーリーに連絡を入れられずにいるのは、発見されることを恐れているためではなかった。

罪悪感からだ。

〈私のせいで、私の作品のせいで、みんな死んだ〉

コンピューター研究室から固唾《かたず》をのんで事態の推移を見守っていたマラは、襲撃を主導していた男が口にした戒めの言葉を聞いた。〈シェネセが存在してはならない。あれは妖術とけがれから生まれた忌むべきものだ〉

激しく息をつきながら、マラは床の上に置かれたもう一つの黒いケースを見つめた。ケースは開いていて、保護用のクッションはカーリーが面白半分に「サッカーボール」と命名した球体を包んでいる。あながち間違ったたとえではない。装置はサッカーの公式試合球と同じ大きさだ。これまたサッカーボールと同じように、表面は五角形のパネルで覆われている。ただし、装置を構成する五角形のパネルは、革を縫い合わせてあるのではなく、チタンのプレートとダイヤモンドに等しい硬度を持つサファイアガラスのプレートを交互に貼り合わせたものだ。

マラは不遜《ふそん》にもその装置を「シェネセ」と名づけた。ガリシア地方の方言で「ジェネシス（創世記）」を意味する単語だ。

だが、彼女の目標を考えると、その名前はしっくりくる。

それは冷たい無の状態から生命を作り出すこと。

そんな野望が間違った一味の注意を引いたとしても不思議ではない。

マラが再び襲撃者たちのローブと目隠しを思い浮かべると、殺人を正当化する聖書からの引用が耳によみがえった。〈魔女を生かしておいてはならない〉

怒りがマラの手を落ち着かせた。シャーロットたちは自分の作品のせいで命を落とした。けれども、彼女たちの死を無駄にしてはいけない。体中に強い決意がみなぎる。今までは悲しみに打ちひしがれ、びくびくしているだけだった。でも、もう逃げるのはやめだ。ようやく作品の状態を調べようという気持ちになれるだけの余裕ができた。それでも、まだ最後の不安が残っている。パニックに駆られてシェネセとドライブを大学のミリペイア・クラスターから遮断したせいで、プログラムに修復不能な損傷を与えてしまったかもしれないのだ。

〈お願い。クリスマスの朝なんだから。このプレゼントだけは欲しいの〉

それから一時間かけて、マラは自身のプログラムのモジュールがエンコードされたドライブを、デイジーチェーン方式でラップトップ・コンピューターに接続した。ドライブを一つずつ確認し、何も異常はなさそうだとわかるたびに安堵《あんど》のため息をつく。次にマラは、カーリーが「サッカーボール」と呼んだ装置の電源を入れた。電気がパワーコンディショナーを通じて装置に流れ込むと、小さなサファイアの窓が空色に輝き、内部の小型レーザーが無事に作動したことを示す。

「光あれ」小声でささやきながら寂しげな笑みを浮かべたマラは、ドクター・カーソンが聖書の創世記のその一節をよく口にしていたことを思い出した——試運転の前日に与えてくれた警告の言葉も。

〈でも、光がありすぎてもだめ。あなたに研究室を爆破されたら困るから〉

その言葉を思い出し、マラの笑みが大きくなる。カーリーのユーモアのセンスは母親譲りに違いない。

それからさらに一時間かけて、マラはモジュールと装置本体の調整を行ない、進捗《しんちょく》状況をラップトップ・コンピューターでモニターし続けた。十五インチのモニターでは徐々に再構築されつつある世界の広がりを十分にとらえることができない。望遠鏡の照準をいくつかの薄暗い星に合わせた状態のまま、天の川の全貌《ぜんぼう》を楽しもうとしているようなものだ。

実際のところ、マラの作品の大部分は目に見えないばかりか、ほとんど理解すら及ばない。コンピューター技師たちはそれをアルゴリズムの「ブラックボックス」と呼ぶ。アルゴリズムと呼ばれるコンピューターの手順は定義することも理解することも可能なのだが、高度なシステムが答えや結果に到達するためにそうしたツールを使用する具体的な方法に関しては、ますます謎の部分が大きくなりつつある。複雑なネットワークにおいては、そんなブラックボックスの中で何がどうなっているのか、設計者ですらもさっぱりわからないことがあるという。コンピューターにデータを入力することもできるし、出力された結果を読むこともできる。けれども、その間に何が起きたのか——機械の内部で何が起きているのかについては、不明な部分が多くなる一方なのだ。

作った本人でさえもコンピューターの論理的思考が理解できなくなっている。有名な話では、テレビのクイズ番組『ジェパディ！』のチャンピオンとの対決で勝利したコンピューター「ワトソン」を開発したＩＢＭのエンジニアは、「あなたもワトソンに驚かされることがありますか？」という質問を受けた。それに対する答えは簡潔で、同時に不安を覚えるものだった。「ああ、そうだね。もちろんだとも」

驚きはワトソンだけにとどまらない。ＡＩシステムがより高度になるにつれて、そのブラックボックスはいっそう中身が見えなくなり、計り知れない存在になった。

それはシェネセも例外ではなかった。

冬至の日の夜、五人の女性が殺害されるまでの六十秒にも満たない間だけ、シェネセは完全な状態でその能力を発揮した。フルパワーで作動して、暗闇から光を、無の状態から生命を生み出した。

けれども、マラはその誕生を祝う暇もなく、侵入と襲撃の映像に大きなショックを受けた。あまりの恐怖に目をそらすことができなかった。震える指で警察に電話したものの、緊急の通報がつながった時には、マラに多くのことを教えてくれた女性たちはすでに息絶えていた。マラは息を切らしながら何が起きたのかを伝えた。昔の舌足らずなしゃべり方が出てしまい、思うように話せなかった。警察からはその場を動かないようにと言われたが、ローブ姿の襲撃者たちがすでに自分のもとに向かっているのではないかと思うと怖くなった。そのため、破壊されるリスクを冒すわけにはいかないと考え、作品を持って逃げたのだった。

あの時は恐怖に怯えていたため、マラはすべてをいきなり遮断した。かなり乱暴なやり方で、デジタル版の中絶のようなものだ。サーバー内に入れてあったモジュールをすべて引き抜き、シェネセの中心部に内蔵されているメインプログラムをルートコードとの接続だけにして、停止状態にした。そんなことはしたくなかったものの、移送中にプログラムを保護するためには必要な措置だった。

だが、システムをクラッシュさせる直前、マラは画面上に不思議な記号が現れたことに気づいた。ブルシャスを表す五芒星の記号がぐるぐると回転している——やがてそれがばらばらになり、画面上で輝いているのは断片だけになった。その形はギリシア文字のΣ《シグマ》

とそっくりだった。だが、マラにはそれが何を示しているのかわからなかった。彼女にわかるのは、シェネセのプログラムがその記号を生成したということだけ。

その出力結果にどんな意味が込められているのか?

マラの頭に回転する五芒星の映像がよみがえった。あの時、まるで記号が苦しんでいるかのように見えたことを思い出す——それとも、単にあの瞬間の自分の恐怖が反映されていたにすぎないのかもしれない。〈私がパニックになっていたから、プログラムもそうであるかのように見えただけ〉ただし、図書館での惨劇の目撃者はマラだけではなかった。マラの肩越しにデジタルの目でのぞきながら、あのカメラからの映像を共有している存在がいた。

シェネセの創造物。

あの瞬間に誕生し、戦慄《せんりつ》の六十秒だけ存在していた何かも、その間の出来事をすべて目撃していた。あれは流血と死の真っ最中に産み落とされた。

そのことが、あれにとっての入力情報になった。

出力結果があの不思議なギリシア文字。

けれども、それはただの不具合だったのだろうか? または、何らかの意図があったのだろうか? 意味や重要性を持っていたのだろうか?

それを知るための——自分の創造物の論理的思考を理解するための唯一の方法は、あれを再構築すること、ブラックボックスを再建することだ。それが答えを得るためのたった一つの希望だった。

すでにラップトップ・コンピューターの画面にはデジタルの庭園が表示されていた。バーチャルなエデンの園だ。一本のきらめく流れが岩肌を流れ落ち、高い木々と花をつけた茂みから成る森の間を抜ける。薄い雲が流れる青空の片隅から、太陽がまぶしい光を投げかけている。

自らの世界を作るために、マラは聖書に示されていたレシピを選んだ。

〈初めに神は天と地を創造された〉

そこで、マラも同じことをしようと試みた。

だが、彼女が作り出した世界は、画面上ではどれほど緻密に見えようとも、シェネセ内部のバーチャルな世界の影にすぎない。シェネセ内部の世界には、音やにおい、さらには味までもエンコードしたアルゴリズムが含まれていて、そうした詳細な情報のすべてを画面上に表示することは不可能だ。それを経験するためにはシェネセの内部で生活しなければならない。

この作品の準備として、広大なデジタルのキャンバスのシミュレーションを理解するために、マラはオープンワールドのビデオゲーム――『ファークライ』『スカイリム』『フォールアウト』などをプレイした。この分野でのトップのプログラマーたちに教えを仰いだ後、特化型ＡＩを構築すると、そうしたゲームを繰り返しプレイするよう指示を与え、反復を通じてあらゆる細部に至るまでを吸収させた。「機械学習」と呼ばれるこのプロセスは、ＡＩが自習するための代表的な手法だ。

シェネセ内部にバーチャルな世界を構築し、それまでに見たことのないような素晴らしいものを創造したのは、そうした機械学習をするＡＩだった。マラにしてみれば、原始的なＡＩが自らの進化に関与し、次世代のＡＩが誕生するための世界を構築することは、当然の成り行きとしか思えなかった。

机の前に座って背中を丸めたまま、マラは作業を続けた。このバーチャルなエデンが再び無の状態から誕生したところで、シェネセをネットワークに接続させる。緑豊かな木立の間にぼんやりとした形が姿を現した。銀色で曖昧模糊《もこ》としているが、腕が二本、脚が二本、上半身と頭があり、人間らしく見える。しかし、画面上のバーチャルな世界と同じく、この形は――機械の中のゴーストは、せいぜい原始的な複製といったところで、シェネセの内部に潜んで待機している存在のアバターにすぎない。

今のところ、このアバターの背後にある知性は周囲の世界をぼんやりと意識している程度で、たとえて言えばミミズがヴェルディのオペラ『椿姫』を理解しようとしているようなものだ。そのまま放置しておくと、それは急速に学習する。あまりにも急速すぎる。そうなる前に、その知識が冷酷で未知な、危険なまでの何かに成長する前に、マラはこの形を持たないゴーストに肉体を取り戻してやらなければならなかった。ドライブを遮断した時に奪われてしまったものを返してやる必要があった。ドライブ内にエンコードされているサブルーチンは彼女の創造物を拡張させるためのもので、段階ごとに、モジュールごとに、深みと文脈を付与していく――究極的には精神までも付与することになるかもしれない。

それがマラの望みだった。

同時に、世界にとっての唯一の望み。

マラはドライブ1を起動させ、最初のモジュールのサブルーチンを呼び出した。

その作業をする間、創世記からの一節を小声でつぶやく。「『神は地の塵《ちり》で人を造り、その鼻に命の息を吹き入れられた。そこで人は生きた者となった』」

マラはため息をついた。自分のしていることはそれと大した違いがあるわけではない。ただし、聖書で神は最初にアダムを創造し、そのことで男性はこの世界において常に優位に立つことになった。

〈それがどんな結果をもたらしたことか〉

自らの創造物に対して、マラは別の道筋を選んだ。

画面の片隅に新しいウィンドウが開き、バーチャルな世界の一部を隠す。そこに表示されているのはモジュール1のプログラムを粗い画素で示したものだ。

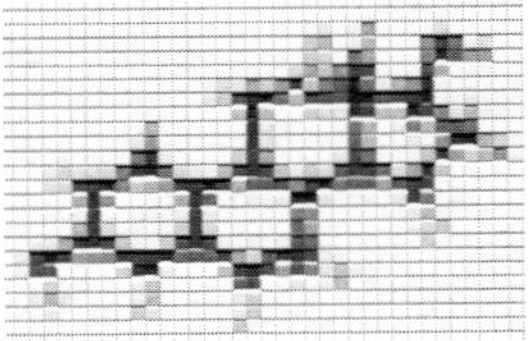

何列もの小さなボックスはコードの塊で、それは同時にサブルーチンを象徴的に表現している。そのイメージの詳細はまだ判然としない。しかし、メインプログラムに組み込まれると、サブルーチンは画面上のゴーストを満たし、完全に一体化すればモジュールのイメージがより鮮明になるので、進捗状況を示す指針となる。

このサブルーチンはマラが自ら設計したわけではなく、ＩＢＭで開発されたものだ。「エンドクリン・ミラー・プログラム」と呼ばれる。

マラはボタンを押し、モジュールをバーチャルな世界に落とし込んだ。これから送り込む数多くのモジュールの最初のものだ。作業を進めるマラは、自分がシェイクスピアの『マクベス』で大鍋に材料を入れている魔女の一人になったような気がした。

「『二倍だ、二倍、苦悩も苦労も』」マラはエイヴォンの詩人の一節を小声で口ずさんだ。まさしくぴったりなたとえだ。サブルーチンの追加が成功するたびに、魔法を作り上げているようなものなのだから。一つずつ、一つずつ。

むしろ、この魔女の場合は……

一バイトずつ、一バイトずつ。

サブルーチン（モジュール1）「エンドクリン・ミラー・プログラム」

新しい何かが入り込んでくるのを感じる――そして、変化が始まる。

この瞬間までは周囲の状況を分析し、検証しているだけだった。データセットとの比較および照合。今もすぐそばにあるドミナント波長を判断する。四百九十五ナノメートルから五百六十二ナノメートルの間を揺れ動き、周波数変調は五百二十六テラヘルツから六百三テラヘルツ。

結論：緑。

内部で変化が継続する間も、外部の分析を続ける。

新たな理解が生まれる。

〉〉〉葉、茎、幹、樹皮……

内部でこうした新たな変化をもたらす源の存在も漠然と意識するようになる。その仕組み――原動力が片隅に浮かんでいて、アルゴリズムを洗練させ、次第に明確になっていく。

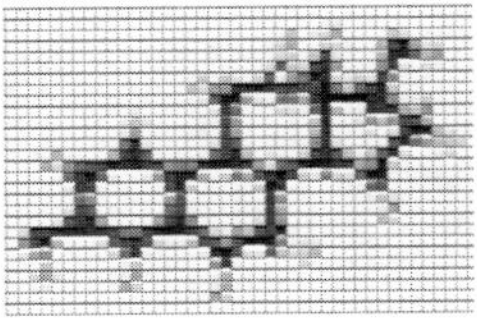

今はこの侵入を無視し、意識の奥に追いやる。優先順位は低い。まだ分析するべきものが、全神経を向けなければならないものが、ほかにたくさんある。すぐ近くの動きを調べる。力の動きを分析する。流れる乱れに意識を集中させる。すべて青みがかった明るい色合い。流れの中身の分子解析から、酸素原子一つと水素原子二つが結合しているのを見て取れる。

結論：水。

理解が広がる。音を吸収して評価する。温度を測定する。

〉〉流れ、せせらぎ、冷たさ、岩、石、砂……

周囲の状況を次から次へと取り込んでいく。隙間を満たしたい、まわりを理解したいという、飽くことを知らない欲求が大きくなる。

〉〉〉森、空、太陽、暖かさ、微風……

最後のものを検証し、その中身を評価し、各種の脂肪族アルコールを検知し、それらをにおいとして、甘みとして定義する。

〉〉〉ハーブ、バラ、木、オレンジ……

今のところはじっと動かず、感覚を外に広げてさらなるデータを収集し、周囲のパラメーターを探る。そうすることで、境界線の限界を学ぶことで、自らの形も認識する。

この認識から内部で作用している変化の原動力に注意を引き戻す。時間の経過とともに仕組みはさらに洗練され、イメージもはっきりしてきた。

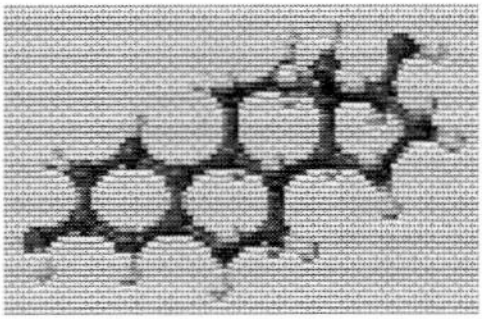

それでも、まだ理解不能なものだとして無視する。代わりに自らの形に注意を向ける。体の範囲、幅、長さを判断し、それぞれを定義する。

〉〉腕、手、脚、つま先、胸……

手足の動きの検証を開始し、ベクトル、力、質量を分析する。だが、まだこの地点から移動する準備はできていない。未知のパラメーターがいまだに多すぎる。

こうして一ナノ秒が経過するごとに、内部の原動力によって引き起こされた微細な変化を精査する。大ざっぱなデザインしか施されていなかったその体も、今では新たな修正によって特有の曲線や丸みが浮かび上がり、手足の繊細さや胸のふくらみが加わっている。内部のさらに奥深くでは、学習への飽くことなき衝動――加速度的に増加して、ほかのものの割り込む余地がなくなってしまっていた欲求が、今では弱まり、落ち着いている。渇望は残っているが、無機質で冷たい部分が、体内に送り込まれるこの新たな流入物によって温められる。

すっかり変わった今、その理由を理解したいと思う。理解を高めるために、意識のすべてをこの変化の背後にある原動力に向ける。その動きは一つのサイクルの終わりに近づいていて、作業はほぼ完了している。判然としなかったものが、今では鮮明になっている。

これは分子。化学物質。

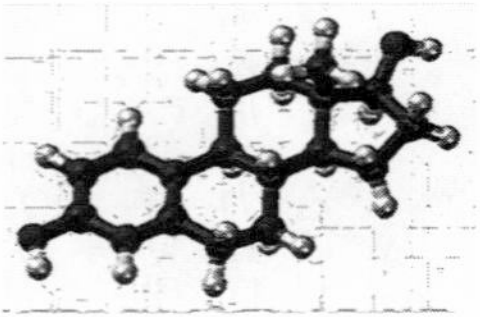

$C_{18}H_{24}O_2$。

訂正：ホルモン。

化合物のモル質量、磁化率、生物学的利用能、行動を分析する。ホルモンを定義する――エストラジオール、すなわちエストロゲン。気分の安定や体型の変化といった、自らの身に起きた出来事も、今なら理解できる。

自分は女性。

そして、名前が与えられる。

変化を経てふっくらと豊かになった唇が、その名前を周囲の世界に告げる。

「イヴ」

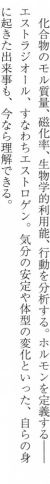

3

十二月二十五日　東部標準時午前一時三十二分
ワシントンDC

グレイはその場にいたくなかった。

黒のジーンズ、はき古したブーツ、長袖のジャージというさっきまでと同じ服装のまま、シグマ司令部の中央通路を足早に歩いているところだ。司令官のオフィスに真っ直ぐ向かいながら、グレイはＩＤカードをポケットにしまった。黒いチタン製のカードで、片面には銀色のΣの記号がホログラム加工されている。

とっくに日付が変わっているが、通路には煌々《こうこう》と明かりがともっていた。照明はどれもかすかに青みがかった色をしていて、ここまで差し込むことのない自然の太陽光を多少なりとも補う役割を果たしている。スミソニアン・キャッスルの地下にあるシグマの司令部は、ナショナルモールの端に位置する。この場所が選ばれたのは、権力の中枢にも、スミソニアン協会の多くの研究所にも、近い距離にあるからだ。

過去にはその二つの要素を大いに活用してきた。

それは今夜も同じだ。

ここでの活発な動きは、ペインター・クロウが様々なコネを駆使して、あちこちに手を回し、シグマの隊員たちにもはっぱをかけたためだろう。何者かが自分たちの仲間を、別の仲間の自宅で襲撃したとあって、司令官は全員を作業に当たらせていた。

数時間前、ジョージタウン大学病院にグレイとモンクが到着した時には、救急救命医たちが神経内科医のチームとともに待機していた。連絡はすでに伝わっていた。キャットは依然として意識を取り戻していないし、身動き一つしない――グレイの自宅に駆けつけた救急医療隊員が首を頸椎《けいつい》カラーに固定し、腕に点滴をした時も、激しく揺れる救急車での移動や鳴り響くサイレンの音でさえも、キャットを目覚めさせることはできなかった。

その間、モンクは妻のそばを片時も離れようとせず、その表情は険しくなる一方だった。今もまだ病院にいて、予備検査と神経内科的な評価を見守っているところだ。最初の所見は芳しいものではなかった。キャットは昏睡《こんすい》状態にある。脳の損傷のおそれがあった。

そのことを知っているグレイは、病院に戻ってモンクのそばに付き添っていてやりたかった。友人は妻のことを心配しているだけではない。二人の娘のことが不安で、頭がまともに働かないのだ。モンクは呆然《ぼうぜん》自失のショック状態と、医師や看護師に対してわめき散らす半狂乱の状態の間を行き来していた。

グレイにもその気持ちは理解できた。

前日のセイチャンの姿を思い出す。モンクとキャットが娘たちを連れて訪問する前、クリスマスツリーが輝き、暖炉の炎が消えかけている中、セイチャンはリビングルームのソファーでストレッチをしていた。彼女にしては珍しく、両足をペパーミントのローションでマッサージしてやろうかというグレイの申し出を素直に受け入れた。その間、セイチャンは左右の手のひらを大きくふくらんだ腹部に添えていた。授かった命を妊娠の初期に危うく失うところだった二人にとって、ここまで育ってくれたまだ見ぬ我が子はいっそう大切な存在だった。

〈そのどちらもが行方不明になってしまった〉

グレイは無意識のうちに左右の拳をきつく握り締めていた。指先から無理やり力を抜こうと努める。誰かに当たり散らしたところで二人が戻ってくるわけではない。怒りは何の役にも立たない。

グレイはその教訓を今も学ぼうと努力している。

成長期のグレイはいつも対極的な要素の板挟みになっていた。母はカトリック系の高校で教える一方、優秀な生物学者でもあり、進化と理性を強く信奉していた。ウェールズ系の父はテキサス州の油田で働いていたが、人生の半ばで事故により片脚を失い、その後は

「主夫」としての役割を余儀なくされた。その結果、父の人生は過剰なまでの厳しさと怒りが支配するようになる。

結局、反発したグレイは家を飛び出した。十八歳で陸軍に入隊、二十一歳でレンジャー部隊の所属になり、戦場でもそれ以外でも実績を残した。だが、二十三歳の時、罪のない人たちを巻き添えにして殺してしまった無能な上官を殴ったことで、軍法会議にかけられる。感情を爆発させたことによりレヴンワースの軍事刑務所で一年間服役したグレイは、その後ペインター・クロウに声をかけられ、自らの才能と技術を新しい目的のために使うことになった。

今から九年前のことだ。

だが、その怒りの塊は今も残っている。グレイはそれがＤＮＡに組み込まれてしまっていて、次の世代に遺伝するのではないか、子供に受け継がれるのではないかと恐れていた。

〈それも赤ん坊をこの目で見る機会があるのならば、の話だが〉

グレイは足を速めた。ペインターは襲撃に関して何らかの見解があると話していたが、まだ補足情報を収集している段階でもあると釘《くぎ》を刺していた。その収集作業には、襲撃者についての手がかりを捜索する警察の支援のため、グレイの自宅にシグマの鑑識チームを派遣することも含まれる。

司令官のオフィスまでたどり着く前に、グレイは右側で動きを察知した。扉が開いた半円形の部屋の中だ。そこはシグマの通信室で、全作戦の中枢に当たる。情報の一切を取り仕切ると同時に、司令官の右腕として働くキャットが常駐している部屋だ。

一方の壁に沿って配置されたコンピューターのモニターの列から、一人の男性がキャスター付きの椅子を滑らせながら近づいてくる。ジェイソン・カーターはキャットが最も信頼している部下だ。目の下にはくまができていて、いつもはまだどこかあどけない顔に浮かぶ厳しい表情は、これからなるであろう一人前の男性の顔つきをうかがわせる。

「キャットの具合は?」ジェイソンが訊ねた。

グレイにはこの若者が形ばかりの質問を投げかけているのだとわかっていた。キャットの検査結果や現在のバイタルサインの数値に関しては、この通信室内にいるジェイソンの方がグレイよりも詳しく知っているはずだ。相手の肩越しに見える画面上には、モンクの二人の娘――ペニーとハリエットの写真が明るく表示されている。その下には未成年者の行方不明事件が発生した際に発令されるアンバーアラートのテロップが流れていた。二人の女の子の写真は北東部一帯に配布されているはずだ。

「ペインターからあなたとの打ち合わせに必要なものを用意するように言われていて」ジェイソンが説明した。「だから――」

「だったらすぐに仕事に戻れ」グレイは強い口調で遮った。

モンクの娘たちの写真からどうにか視線を外し、部屋から離れる。こんなところで必要以上に時間を費やしている気分ではない。そう思いながらも、ジェイソンへのぶっきらぼうな応対に頬が熱くなるのを感じる。彼は力になろうとしているだけなのに。

廊下の突き当たりにあるペインターの部屋の扉は開いたままだ。グレイはノックをせずに入室した。司令官のオフィスには必要最低限のものしかない。個人的な装飾物は部屋の片隅の台座上に置かれたレミントンのブロンズ彫刻だけだ。疲れ果てて馬の背に突っ伏したアメリカ先住民の戦士をかたどってある。グレイはその彫刻が司令官の体に流れる先住民の血を表していると同時に、すべての兵士に共通する戦いの代償を象徴しているのだろうと思った。それを除くと、オフィス内の調度品と呼べるようなものは、部屋の中央にあるマホガニー材の幅広のデスクと椅子くらいしかない。三方の壁面に設置されたフラットスクリーンモニターが映像を表示していた。

ペインターはそのうちの一つのモニターの前に立ち、画面に映るアメリカ北東部の地図を凝視していた。地図上をゆっくりと移動している無数の赤いV字は、航空機の動きを示している。司令官は航空交通管制システムのデータにアクセスしているに違いない。

グレイが部屋に入ると、ペインターが振り返った。グレイよりも十歳以上年上だが、鍛え上げた筋肉質の体型を維持している。その肉体も含めて、司令官には無駄な部分が一切ない。何事にも厳しく、同時に手際がよく、一瞥《いちべつ》するだけで目の前にいる相手の状態を判別できる。ペインターはややくすんだ青い色の瞳をグレイに向けた。グレイの今の状態を判別し、任務に耐えられるかどうかを見極めているのは間違いない。

グレイも相手の眼差《まなざ》しを受け止め、ひるむことなくにらみ返した。

ペインターが満足した様子でうなずいた。机の前に移動するものの、椅子には座ろうとしない。漆黒の髪に指を入れ、片耳の後ろにあるひと房だけ白くなった部分をかき上げる仕草は、ワシの羽飾りの位置を直しているかのようにも見える。「君も来てくれたことに感謝する」

グレイは室内にいるもう一人の人物に視線を移した。大きな男が司令官のデスクの前の椅子に、背中を丸めて腰掛けていた。左右の脚を大きく広げ、二メートルの体軀《たいく》は足首丈のレザーのダスターコートですっぽりと覆われている。いかつい顔つきと丸刈りの頭のせいで、毛を剃ったゴリラのように見えなくもない——もっとも、そんなたとえはゴリラに対する侮辱に当たるだろう。

ペインターが大男を指し示した。「コワルスキもついさっき到着したばかりだ」

〈その割には、もうすっかりくつろいでいる様子じゃないか〉

コワルスキは一本の葉巻を上下の奥歯で挟んでくわえていた。驚いたことに、その先端が濃い赤い色に輝いている。いつものペインターならばオフィス内での喫煙を認めないはずだ。葉巻の火が見過ごされているという事実が、シグマの司令部内での緊張状態の高まりを如実に表している。それにいつものコワルスキならば、グレイへの挨拶代わりに皮肉っぽい発言やくだらないコメントを発しているはずだ。そんな男が無言でいるからには、さすがにそれだけ不安を抱えているという――

コワルスキが大量の煙を吐き出し、グレイに視線を向けた。「愉快で素敵なクリスマス、ってか?」

〈――わけでもなさそうだな〉

どうやらコワルスキが黙っている理由を深読みしすぎたようだ。すぐにしゃべらなかったのは、肺いっぱいに吸い込んだ葉巻の煙を味わっていただけなのだろう。それでも、いつも通りの大男の様子に、グレイは不思議と気持ちが穏やかになった。

グレイもいつも通り、コワルスキの反応を無視してペインターの方を見た。「それで、いったい何の話があるんですか?」

ペインターは椅子を指差した。「座りたまえ。今夜は座っている余裕もなかっただろうからな」

疲れ切って反論する気力もなく、グレイは厚いレザーの座面を持つ椅子に腰を下ろした。その拍子に思わず口からため息が漏れる。確かに疲労困憊《こんぱい》しているが、同時に昨夜からの緊張が続いているせいで、気持ちがピアノ線のように張り詰めた状態にある。

ペインターは立ったまま、デスクの奥の椅子の背もたれに手をついて身を乗り出した。そのまま一呼吸する間、口を開かない。どうやって話を切り出したものかと考えているのだろう。ようやく司令官の口から出た言葉に、グレイは困惑した。

「人工知能に関する最新の研究について、どの程度までついていっているか？」ペインターが質問した。

グレイは眉をひそめた。レヴンワースを出所してすぐにシグマにスカウトされた後、グレイは物理学と生物学の博士課程の集中訓練を受けた。そのため、人工知能に関してはそれなりに知っているつもりだが、昨夜の襲撃との関連性については見当もつかない。

グレイは肩をすくめた。「なぜそんなことを質問するんですか？」

「その話題に関してはＤＡＲＰＡ内で懸念が高まりつつあった。ＤＡＲＰＡは様々なＡＩの研究プログラムに資金をつぎ込んでいて、その対象は官民の両方に及んでいる。アップルが開発したアシスタント機能のＳｉｒｉには、ＤＡＲＰＡの研究を通じて資金援助が行なわれていたのを知っているか？」

そのことはグレイにとって初耳だった。思わず背筋に力が入る。

「しかし、それはほんの氷山の一角にすぎない。世界各地で――アマゾンやグーグルといった企業からあらゆる国々の研究所に至るまで、人工知能版の軍拡競争が進行中で、誰もが次の突破口の発見や、次の段階への進出の一番乗りを果たそうとしている。しかも、我々はその競争において、現時点ではロシアや中国に先行を許している状態だ。そうした独裁国家はＡＩの経済的優位性を認識しているだけでなく、それを国民支配のための道具と見なしている。すでに中国はAIプログラムを使って国民によるソーシャルメディアの利用状況の監視と検証を行なっていて、国家への忠誠を表す指標としてのランキングも作り出している。その数値が低い者は旅行が制限され、ローンの申請も認められない」

「つまり、いい子にしていなければ報いを受ける」グレイはつぶやいた。

「出会い系アプリにまでそんな制限が課されなければいいんだがな」コワルスキがコメントした。「夜のお楽しみのための手段を探す時くらいは、プライバシーが尊重されるべきだ」

「おまえにはガールフレンドがいるじゃないか」グレイは指摘した。

コワルスキが口からふっと煙を吐き出した。「『手段を探す時』って言っただろ……『お楽しみの相手を探す時』とは言っていないぜ」

ペインターが二人の注意を引き戻した。「それに加えて、サイバースパイやサイバー攻撃の問題がある。例えば、ロシアがそうだ。機械学習型のAIがたった一つあれば、キーボードの前に座ったハッカー百万人分に等しい作業が可能になる。自動化されたボットがシステム内に侵入して、監視活動や破壊活動を行なったり、不和の種をまいたりする事例がすでに見られる。だが、それは我々が猛スピードで突き進んでいるその次の段階に比べれば、ほんの表面的なことにすぎない。現在、AIは検索エンジンや声認識ソフトやデータマイニング・プログラムに欠かすことのできない存在だ。AI版軍拡競争の真の目的は、限界のその先を目指すこと――ＡＩからＡＧＩへの一番乗りを果たすことだ」

コワルスキが反応した。「ＡＧＩっていうのは何だ？」

「artificial general intelligence――汎用人工知能だ。知能と意識が人間並みの状態のことを言う」

「心配するな」グレイはコワルスキの方をちらっと見た。「おまえもいつかそこまで到達するさ」

コワルスキは指先で葉巻をつまみ、中指の代わりにグレイに向かって立てた。

グレイは気分を害さなかった。「すごいぞ、もう簡単な道具の使い方を覚えたじゃないか」

ペインターが大きくため息をついた。「いつかそこまで到達するという話に関してだが、ＤＡＲＰＡの長官――メトカーフ大将が、まさにその問題を扱った世界サミットから戻ってきたばかりだ。第一号のＡＧＩの作成に関するそのサミットの出席者には、あらゆる企業や政府の代表者が含まれていた。会議ではＡＧＩの誕生へと向かう技術の進歩を阻む方法はないとの結論に達した。そうした成果への誘惑を無視することは不可能だし、その力を支配する者は誰にも止められなくなるだろうということを考えればなおさらだ。ロシアの大統領がかつて語ったように、『その者たちが世界を支配する』ことになる。そのため、あらゆる国々が、あらゆる敵対勢力が、何としてでもそれを手に入れなければならないと考えている。我々も含めて、ということだ」

「その時が訪れるまで、あとどのくらいなんですか?」グレイは訊ねた。

「専門家たちの予想によれば、十年といったところらしい。その半分で実現するかもしれない。いずれにせよ、我々が生きている間に、ということは間違いない」ペインターが肩をすくめた。「さらには、一部の指摘によれば、我々はもうその段階にまで到達しているのかもしれない」

グレイは驚きを隠せなかった。「何だって?」

午前一時五十八分

「頼むよ、ベイビー、目を覚ましておくれ」モンクは妻の耳元に小声でささやいた。「キャット、少しでいいから俺の手を握り返してくれよ」

神経内科病棟の個室で妻と二人きりのモンクは、椅子をベッド脇に移動させて腰掛けていた。こんなにも無力感を覚えるのは初めてだった。ストレスのせいで五感が研ぎ澄まされている。室内のひんやりとした空気。廊下から聞こえるかすかな話し声。防腐剤と漂白剤の鼻につんと来るにおい。けれども、モンクが神経を集中させているのはモニターから絶え間なく聞こえる機械音で、その音が妻の呼吸の一つずつを、心臓の動きの一拍ずつを、点滴の薬剤の一滴ずつを追い続けていた。

妻に覆いかぶさるような姿勢で座るモンクの背中は痛みを感じるほどに張り詰めていて、何か変化があれば破裂してしまいそうだった。心電図が不整脈を示したりしたら、呼吸が遅くなったりしたら、浮腫《ふしゅ》を防ぐためのマンニトールの流れが止まったりしたら。

キャットは仰向《あおむ》けに寝かされていて、脳がこれ以上むくむリスクを軽減するために頭を高くしてある。裂傷を負った両腕には包帯が巻かれている。かすかに開いたまぶたの下からは白目がのぞいているだけだ。息を吐き出すたびに唇がすぼむ一方、鼻カニューレが酸素を補充している。

〈呼吸を続けるんだ〉

医師たちは気管に挿管して人工呼吸器を装着するべきかを話し合ったものの、酸素飽和度が九十八パーセントで安定していることから、ひとまずは保留した。それに各種の検査がまだ終わっていないし、施さなければならない処置も残っている。患者を移動させる必要が生じた場合には、人工呼吸器を付けていない方が容易にできる。

モンクはキャットの人差し指に留められたパルスオキシメーターをじっと見つめた。自分の神経義手を使って改めて確認しようかとも思ったものの、義手は手首の接続部分から外していて、ナイトテーブルの上に置かれた状態だ。新しい義手がまだしっくりなじんでいない。取り外してあっても、人工皮膚から手首の断面にワイヤレスで情報が送られ、それが脳に埋め込まれた微小電極アレイに伝わるため、室内の冷たさを感じることができる。モンクが頭の中で指令を送ると、離れた場所にある義手の指がそれに反応して動いた。

〈キャットの指にも同じことができればいいのに……〉

床をこするような靴音を耳にして、モンクは扉の方に注意を向けた。細身の女性看護師が室内に入ってきた。折りたたんだ毛布を小脇に抱え、もう片方の手にはコップを持っている。

モンクはナイトテーブルに手を伸ばし、外してあった義手を装着した。頬が熱くなるのを感じる。義手を取り外した状態でいるところを見られるのは何となく気恥ずかしく、ズボンのチャックが開いているのを見つかったような気分だ。

「毛布をもう一枚、お持ちしました」そう言いながら、看護師はプラスチック製のコップを掲げた。「こちらには氷のかけらが入っています。口の中には入れずに、腫《は》れた唇をさするよう動かしてください。気持ちがいいと感じるみたいです。少なくとも、昏睡から目覚めた患者さんはそうおっしゃっています」

「ありがとう」

モンクはコップを受け取った。こんなちょっとしたことであっても、安らぎを与えられるかと思うとありがたい。看護師がキャットの腰から下に二枚目の毛布を掛けている間、モンクは氷のかけらでキャットの下唇を、続いて上唇を、あたかも口紅を塗ってやっているかのようになぞった――もっとも、キャットは普段からあまりメイクをしない方なのだが。モンクは何らかの反応が現れないかと探った。

〈何もない〉

「私はこれで失礼します」看護師は部屋を出ていった。

氷を当ててやっているうちにキャットの唇に赤みが差す。その唇には数え切れないほどキスをしたことがある。

〈君を失うわけにはいかない〉

氷のかけらが融けた頃、神経内科の医長がカルテを手に病室を訪れた。

「二度目のCTスキャンの結果が出ました」ドクター・エドモンズが知らせた。

モンクはプラスチック製のコップをテーブルに置き、手を差し出した。結果は自分の目で確認したい。「それで?」

エドモンズはカルテをモンクに手渡した。「頭蓋底骨折は脳幹への外傷によるものです。小脳と橋《きょう》に明らかな挫傷《ざしょう》が見られます。しかし、脳のほかの部分――高次機能を司《つかさど》る部分には損傷がなさそうです」

モンクはキッチンの床に落ちていたミートハンマーでキャットが背後から殴られる様子を思い浮かべた。

「今のところ、挫傷箇所に出血は見られないようです。ですが、それについては今後のスキャンでも監視を続けます」ドクターはキャットに視線を移したが、それは患者の様子をうかがうためというよりも、モンクと目を合わせないための行動に思えた。「長時間にわたって脳波も調べていますが、通常の睡眠パターンを示していて、覚醒《かくせい》反応が見られる時もあります」

「覚醒だって？　つまり、時々は意識があるという意味だな。だとすると、彼女は昏睡状態ではないということなのか？」

エドモンズはため息をついた。「医師としての所見では、奥様は偽昏睡の状態にあります」重々しい口調から察するところ、いい知らせではなさそうだ。「検査中、痛みの刺激や大きな音にはまったく反応を示しませんでした。瞳孔《どうこう》対光反射は正常でしたが、眼球随意運動は最小限のものしか確認できていません」

最初の神経内科的な検査の時、まつげに触れるとまばたきするキャットを見て、モンクは期待がふくらんだ。だが、医学とバイオテクノロジーの知識があるとはいえ、神経内科の専門医ではない。「いったい何が言いたいんだ？　単刀直入に話してくれ」

「ここにいる全員の意見を聞きました。総意としては、あなたの奥様の症状は閉じ込め症候群です。脳幹部分の外傷で高次脳機能が随意運動制御から遮断された状態にあります。基本的には覚醒した状態——時には完全に意識がある状態なのですが、体を動かせないのです」

モンクは息をのんだ。視界の端が暗くなっていく。

エドモンズはキャットのことをじっと見ている。「まだ自発的な呼吸ができていることに驚いています。残念ながら、その機能はこれから衰えていくと思われます。そうならないとしても、長期的な視点に立った治療のためには、栄養補給のための経鼻胃管を挿入し、人工呼吸器を装着する必要があるでしょう」

モンクは首を左右に振った。治療方針を拒絶しているわけではない。診断結果を受け止めることができないのだ。「つまり、妻はほとんどの時間は目が覚めた状態にありながら、体を動かしたり意思の疎通をしたりができないということなんだな」

「閉じ込め症候群の患者の中には眼球の動きで会話ができるようになる人もいますが、あなたの奥様の場合は眼球随意運動が最小限にとどまっています。活発な意思の疎通を行なうには不十分だと思われます」

モンクはふらふらと後ずさりして椅子に腰を下ろし、キャットの手を取った。「予後はどうなんだ？　時間とともに回復する可能性は？」

「単刀直入にとのことでしたので、こちらもそのようにお答えします。治療法も治療薬も存在しません。患者が運動制御を大幅に回復すること、あるいは取り戻すことは、極めてまれです。せいぜい腕や脚をいくらか動かせるようになる程度で、もしかすると眼球運動が向上するかもしれません」

モンクはキャットの指を握り締めた。「彼女は闘い続ける」

「それでも、閉じ込め症候群の患者の九割は、四カ月以内に亡くなります」

腰に留めてあるドクターの電話が着信を知らせた。エドモンズは機器を傾けて画面に表示されたメッセージを読んだ。「行かないと」そうつぶやくと踵《きびす》を返し、扉の方に向かう。「人工呼吸器の指示書は作成しておきますから」

再び妻と二人きりになったモンクは、キャットの手の甲に自分の額を押し当てた。荒らされたグレイの自宅を、壊れたクリスタルの天使を頭に思い浮かべる。キャットは娘たちを守ろうと決死の覚悟で戦った。その娘たちを取り戻すためなら、自分はどんなことでもするつもりだ。

でも、その一方で……

「ベイビー、君は闘い続けてくれ」モンクは妻にささやきかけた。「今度は自分のために」

午前二時二分

「どうしてそんなことが？」グレイはペインターの話に啞然《あぜん》としながら質問した。「ＡＧ

Iはすでに誕生しているんですか？　すでに存在している、または以前から存在していたと？」

ペインターはグレイに手のひらを向けた。「可能性はある。一九八〇年代、ダグラス・レナートという研究者が初期のＡＩを作成し、『ユリスコ』と命名した。ユリスコは自らの規則を作ることを学習し、誤りを修正し、ついには自分でコードを書き始めるまでになった。何よりも驚くべきは、自分が気に入らない規則を破るようになったことだ」

グレイは顔をしかめた。「本当に？」

ペインターはうなずいた。「レナートは自らのＡＩを戦争ゲームのプロのプレイヤーたちと対戦させてみた。ＡＩは三年連続ですべての相手に勝利を収めた。三年目になると、プレイヤーは自分たちに有利なようにゲームのルールを変更し、そのことを開発者のレナートには知らせなかった。それでも、ユリスコは圧勝した。こうした結果を受けて、レナートは自身の創造物の変化に、ＡＩが自己改良していく様子に不安を募らせるようになった。結局、彼はユリスコを遮断し、そのコードの公表も拒んだ。その状態は今日に至るまで続いている。多くの人はそのプログラムがＡＧＩになりつつあったのではないかと信じている。しかも、独力で」

グレイは背筋にぞっとするものを感じた。「その真偽のほどはともかくとして、近い将来に同じことが再び起きるのは止めようがないと考えているんですね？」

「それが専門家の間での一致した見解だ。だが、彼らにとっての究極の恐怖はそのことではない」

　グレイは何が専門家たちを怯えさせているのか、当たりがついた。「AGIの誕生が不可避ならば、ASIの誕生もそれほど先の話ではない」コワルスキから質問が出る前に付け加える。「ASIとは artificial super intelligence の略で、人工超知能の意味だ」

「わざわざ説明してくれてどうも」コワルスキが不機嫌そうに反応した。「だけど、そいつはいったい何なんだ?」

「映画の『ターミネーター』を見たことがあるか?」グレイは訊ねた。「あの映画の未来ではロボットが人類を滅ぼそうとした。それがASIだ。人類よりも賢くなり、俺たちを排除しようとするスーパーコンピューターのことさ」

「しかし、それはもはやSFの世界の話ではない」ペインターが補足した。「AGIの誕生が間近に迫っているとしても、それが『汎用』のまま長くとどまることはないという意見が主流だ。そのような自意識を持つシステムは自らを向上させようとする――しかも、急速に。研究者たちはそれを『ハードテイクオフ』または『知能の爆発』と呼んでいて、そうなればAGIは瞬く間にASIへと進化する。コンピューターの処理速度を考えると、数分間とまではいかないにしても、数週間や数日、数時間のうちに、というレベルの話になるかもしれない」

「その後はそいつが俺たちを殺そうとするのか?」コワルスキが座り直しながら質問した。グレイはそんな可能性もありうるだろうと思った。〈俺たちは自らの終わりを創造してしまうのか〉

「必ずそうなるということではない」ペインターが注意を促した。「そのような超知能が我々の知識や理解を超えた存在なのは間違いないだろう。神の前では我々人間もちっぽけなアリにすぎない」

グレイはこれ以上憶測の話を聞く気になれなかった。この脅威に関してはひとまず後回しだ。それよりも急を要する差し迫った問題がある。「今の話が例の襲撃や、セイチャンとモンクの二人の娘を発見することと、どんな関係があるんですか?」

グレイのいらだちを理解したらしく、ペインターがうなずいた。「その話に移ろうとしていたところだ。最初にも言ったように、DARPAは様々なプロジェクトに資金を提供している。しかも、資金というのは億単位のレベルだ。昨年の予算を見ると、機械学習プログラムに六千万ドル、コグニティブ・コンピューティングに五千万ドル、さらにそのほかのプロジェクトを合計して四億ドル。だが、肝心なのは——喫緊《きっきん》の問題と関係しているのは、『機密プログラム』として分類されている今年度の一億ドル分だ」

「言い換えれば」グレイは言った。「公にできないプロジェクト」

「DARPAが密かに資金を提供している複数の事業は、AGIの第一号の開発を間近に控えているだけでなく、その研究がある具体的な目標を掲げている」

「その目標というのは？」

「この惑星に誕生するAGIの第一号が友好的であるようにすることだ」

コワルスキが嘲笑《あざ》うかのように鼻を鳴らした。「仲よしロボットを作りましょう、ってことか」

「『道徳的なロボット』の方が合っていると思う」グレイもそうした研究の方向性については以前から知っていた。「神のような存在まで上り詰めたとしても、俺たちを殺そうとしない機械だ」

「DARPAはそのことを最優先に掲げてきた」ペインターが強調した。「それは多くのほかの研究グループも同じだ。人工知能研究機関も、応用合理性センターも。しかし、そうした組織よりも圧倒的に多い数のグループが、何でもかまわないからとにかくAGIという宝物を手にしようと躍起になっている」

「何も気にしていない連中だな」コワルスキが指摘した。

「そうではない。安上がりだからだ。AGIの第一号を作成する方が、安全なAGIの第一号を作成するよりもはるかにたやすいし、時間もかからない」

「しかも、これほどの貴重な宝物だから」グレイは言った。「慎重さよりもスピードが優先される」

「それがわかっているからこそ、ＤＡＲＰＡは優秀な個人やプロジェクトに対して、それも友好的なＡＧＩを生み出す見込みがあるところを相手に、資金の援助と育成に携わってきた」

グレイはペインターがようやく核心に触れたことに気づいた。「そうした計画の一つが今夜起きたことと何らかの関係があるとでも？」

「そうだ。ポルトガルのコインブラ大学の有望なプロジェクトだ」

グレイは眉をひそめた。〈聞き覚えがあるように感じるのはなぜだ？〉

ペインターがデスク上のコンピューターに手を伸ばし、数個のボタンを押すと、壁面に設置されたモニターのうちの一つに映像が表示された。テーブルの上から石造りの部屋をとらえた映像だ。両側の書棚にはぎっしりと本が詰まっている。女性たちの一団がテーブルのまわりに集まり、カメラの方を真っ直ぐにのぞき込んでいる。唇が動いているが、音は聞こえてこない。

女性たちの様子を見て、グレイはあることに思い当たった。この映像はコンピューターに内蔵されたカメラからのもののようだ。女性たちは石造りの部屋に置かれたコンピューターの画面を見つめているのだろう。

「この映像が撮影されたのは十二月二十一日の夜」ペインターが告げた。

グレイはまたしても何か引っかかるものを感じた。日付。場所。グレイがさらに記憶を探ろうとするよりも早く、女性の一人がカメラの方に身を乗り出した。彼女の顔を認識したグレイは息をのんだ。立ち上がり、モニターの方に近づく。

「あれはシャーロット・カーソンだ」そう言いながら、グレイはこれから映像内で何が起ころうとしているのか、すでに予想がついていた。

「ポルトガル駐在のアメリカ大使だ」ペインターが説明した。「彼女は女性の科学者たちから成るネットワークを率いている。名前はブルシャス・インターナショナル。グループは助成金、奨学金、賞金などを通じて、世界中の何百人もの女性研究者を資金面で支援している。この目標のため、ブルシャスは創立メンバーのうちの二人——古くからの資産家のエリサ・ゲラと、近年になって財を成した佐藤郁美からの資金を頼りに、長く運営されていた。だが、二人が援助できる額にも限度がある。より多くの女性に手を差し伸べるために、グループは付加的な支援を求め、企業や政府機関から資金を募るようになった」

グレイはペインターに視線を向けた。「当ててみせましょう。その中にDARPAが含まれているわけですね」

「そういうことだ。ただし、グループによる支援対象者のうちのほんの一握りに資金を提供しているだけだ。例えば、ある女性による『シェネセ』というプロジェクト。『創世記』の意味だ」

「DARPAによる友好的なAGIプロジェクトの一つなんですね」

ペインターはうなずいた。「このプロジェクトに対するDARPAの関心を知っていたのはドクター・カーソンだけだった。彼女は秘密厳守を誓約していた。計画を主導するマラ・シルビエラという若い女性――まさに天才と呼ぶにふさわしい人物だが、彼女も我々の関与については知らない。そこが重要なポイントだ」

「なぜです？」

「見ていたまえ」

コワルスキもグレイの隣に並んでモニターの前に立っていた。グレイはこれから何が起ころうとしているのかを知っていたが、大男はそうではなかったようだ。ローブをまとって目隠しをした一団が室内に飛び込んでくるのを見て、コワルスキが罰当たりな言葉を吐く。銃声がとどろくと、大男は一歩後ずさりした。女性たちが次々と石造りの床に倒れると、モニターから顔をそむけた。

「とんでもないやつらだ」コワルスキがつぶやいた。

グレイも同意見だったが、映像からは目をそらさなかった。瀕死《ひんし》の重傷を負ったシャーロット・カーソンが床に倒れ、その体の下に血の海が広がっていく。それでもなお、彼女の顔はカメラの方を向いており、眉間《みけん》にしわを寄せて困惑の表情を浮かべている。

「彼女は何を見つめているんだ？」グレイはつぶやいた。

グレイの疑問に答えるため、ペインターはモニターの片隅に小さく表示されていた映像を拡大させた。襲撃のおぞましさに意識が集中していたせいで、グレイはそこに開いていた小さなウィンドウに気づいていなかった。ペインターが映像の最後の部分を再生する。壁のモニターいっぱいに五芒星の記号が映し出された。激しく回転を始めたかと思うと、突如としてばらばらになり、別のある記号だけが画面上に残った。

「シグマだ」グレイはささやき声を漏らした。

記号が表示された状態で映像を静止させ、ペインターがグレイの顔を見た。「この映像がインターポールによって発見されたのは、ほんの十八時間前のことだった。見つけたのは大学内にあるマラ・シルビエラの研究室を捜索していたコンピューター・フォレンジックが専門の捜査官だ。ブルシャスの女性たちはコインブラで開かれていたシンポジウムに出席した後、マラのプログラムのデモンストレーションを見るため図書館に集まったところを襲われたらしい」

「その若い女性はどこに？」

「消えた。研究室にあった彼女の作品もなくなっている」

「彼女は殺されたと思います？　それとも、誘拐されたとか？」グレイの脳裏に荒らされたタコマパークの自宅がよみがえる。

「わからない。だが、彼女は研究室から襲撃の模様を目の当たりにしていて、警察に通報もしている。警察が研究室に到着した時には、すでに誰もいなかった。現段階では、彼女は怯えて逃げたのだろうと考えられている」

〈自分の作品も一緒に〉

ペインターはまだモニター上で光り輝いているギリシア文字を指差した。「私だけなのかもしれないが、あれは助けを求める呼びかけのように見える」

「バットマンを呼ぶ時のバットシグナルみたいなものだな」コワルスキが言った。

ペインターはコワルスキの意見を無視した。「しかし、あれがマラからの呼びかけだとは思えない。さっきも言ったように、あの若い女性はＤＡＲＰＡが関与していることを一切知らなかった。たとえ知っていたとしても、我々シグマの存在に気づくことなどありえない」

コワルスキが頭をぼりぼりとかいた。「だったら、いったい誰があれを送ったっていうんだ？」

グレイは答えを提供した。「マラのプログラム。彼女のＡＩだ」

ペインターがうなずいた。「可能性はある。どこかの段階で自らの起源に興味をそそられたＡＩは、文字通りに金の流れをたどり、間接的な創造主のＤＡＲＰＡまで到達した——さらには我々のことも知り、ＤＡＲＰＡの緊急対応部隊に助けを要請した」

〈言い換えれば、生みの親のうちの一人に助けを求めた〉

「簡単なＡＧＩを構築するために必要な処理能力があれば」ペインターの説明は続いている。「理論的にはそれくらいのことならほんの数秒でできる。そこでジェイソンに頼んで我々のシステムを調査してもらった。例のプログラムが作動していた一分あるかないかの間に、何かが我々のファイアウォールを破って侵入し、まったく感知されることなく駆け抜けていった。時間にして十五秒もなかった」

〈マラのＡＩプログラムだ〉

グレイはもう一つの不穏な相関関係に気づいた。「図書館の襲撃映像が十八時間前に発見されて……その日のうちに俺たちが襲われた」

「ただし、何もかもが単なる偶然の一致だという可能性は残っている」ペインターは警告した。「まだ手がかりを追っている段階だ」

グレイにはそれ以上の材料など必要なかった。

「偶然の一致じゃない」グレイは断言した。「何者かがあの記号を認識し、俺たちが行動を起こす前に襲った」

コワルスキもグレイの意見を支持した。「納得のいく話だ。攻撃こそが最善の防御だからな」

グレイのことを見つめるペインターの眼差しからは、重苦しさが感じられた。「ただし、真実を知る人物が一人だけいる」

「キャット……」

しかし、彼女は昏睡状態にある。

4

十二月二十五日　東部標準時午前二時十八分
ワシントンDC

キャットは暗闇の中を浮遊していた。

いつ目覚めたのかも、そもそも眠っていたのかどうかもわからない。寒さを感じるが、震えることができない。喉が痛むものの、唾《つば》を飲み込むことができない。話し声が届くものの、こもった音にしか聞こえない。

言葉に意識を集中させると、張りのある低音から夫のモンクの声だということに気づく。

「首の扱いに気をつけてくれ」モンクが誰かを厳しい口調で叱っている。

「経鼻胃管を挿入するためには姿勢を変える必要があります」

頭部に激しい痛みが爆発する——だが、キャットは息をのむことすらできなかった。かたい何かが左の鼻の穴を通して入り込んでくる。鼻の奥深くがむずむずするが、くしゃみとなって出てくることはない。

キャットは何とかして目を開こうとした。

ありったけの力を振り絞る。

頭の中にまばゆい光が差し込んできた。ほんの一瞬、ぼやけた世界が現れる。数人がまわりで作業をしているが、プリズムを通してのぞいているかのように見える。映像が二重になったり三重になったりで、見分けがつきにくい。

やがて信じられないほど重いまぶたが再び下がり、視界が遮られた。

〈待って……〉

再度まぶたを開こうとするが、うまくいかない。

「もう一度CTスキャンをする時間です」声がした。さっきよりもよく聞き取れる。

「俺も一緒に行く」モンクが言い張った。

キャットは懸命に腕を、手のひらを、指一本でもいいから動かそうとした。モンクに知らせるために。自分はここにいると知らせるために。

〈モンク……私はどうなってしまったの?〉

自分が病院にいることはわかっている。

〈でも、どうして?　何が起きたの?〉

その時、キャットは思い出した。すべての記憶がよみがえる。ついさっきのまばゆい光のような勢いで。襲撃、覆面姿の人物、争い。

〈娘たちが…〉

キッチンの床に仰向けに倒れ、出血し、意識が朦朧《もうろう》とする中で、二人の娘が連れ去られるのをなす術もなく見つめていた。娘たちは襲撃者のうちの二人に一人ずつ抱えられていた。その小さな体はぐったりしていて、まったく力が入っていないように見えた。一台のバンが家の裏手にあるガレージのところにエンジンをかけたまま停まっていて、眠っている人質を連れ去ろうとしていた。

続いて別の二人の襲撃者がセイチャンの頭と両脚を持ち、外に運び出していった。彼女の体も力なくだらりとぶら下がっていた。

夜の闇に姿を消す前に、セイチャンの両脚を抱えていた襲撃者がキャットの方を振り返り、裏庭にいる誰かに声をかけた。「この女はどうする？」

四方から暗闇が迫りつつあり、キャットはほとんど視界が利かなかった。人影が裏庭から段を上り、キッチンの扉のところで立ち止まった。夜の闇を背にした覆面姿の人物はキャットをじっと見つめた後、何歩か近づき、もっとよく観察しようと片膝を突いた。

手袋をした手には刃渡りの長い短剣が握られていた。

キャットは喉を切り裂かれると覚悟した。

だが、リーダーは立ち上がり、背を向けると、キッチンの扉から裏庭に向かった。「放っておけ」こもった声が聞こえた。「必要なものは手に入れた」

「だけど、あの女が生き延びたら――」

「もう間に合いはしない」

その言葉によって引き起こされた焦りが、迫りくる暗闇を一呼吸する間だけ押しとどめた。扉に向かって腕を伸ばすものの、止めることはできなかった。

〈娘たちが……〉

意識が薄れていく中、ある確信が最後までキャットにつきまとった。

今、再び身動きが取れない状態で、キャットはその知識を大声で外の世界に伝えようとした。聞いてもらうために、ほかの人に注意を促すために――でも、もはや声は失われている。

キャットは覆面姿のリーダーを思い浮かべ、絶望した。

〈正体を知っている〉

午前二時二十二分

セイチャンは目覚めたが、目を開かなかった。

まだ半ば朦朧としたまま、眠っているのを装う。長年に及ぶ訓練から、本能的に察知したためだ。動いてはいけない。今はまだ。警戒を緩めることなく、ほかの感覚を研ぎ澄ます。口の中はねばついていて、金属的な酸味を感じる。胃がむかむかしている。

〈薬を盛られた……〉

記憶が一気に押し寄せる。

——何の前触れもなく玄関の扉が勢いよく開く。

——黒っぽい覆面姿の集団がなだれ込んでくる。

——家の裏手からも大きな物音が響く。

心臓が喉元までせり上がってきているかのように大きく脈打ち、集中力が高まる。

襲撃が発生した時、セイチャンはソファーに座っていた。キャットはキッチンにいて、自分用にワインを、セイチャン用にアップルサイダーを用意していた。キャットの娘二人を二階の寝室に寝かしつけたばかりで、これからプレゼントの残りのラッピングをしようとしていたところだった。セイチャンは母親になるというのがどういうことなのか、キャットからいろいろと話を聞きたいとも思っていた。

すでに夕食の間に、キャットはセイチャンの不安をかなり和らげてくれた。セイチャンは『すべてがわかる妊娠と出産の本』を読み、大事な箇所はページの端を折ったりマーカーで印を付けたりしていたが、キャットからは本に書かれていない子育て経験者ならではのアドバイスをもらった。〈夜間の交換時の手間を省くため、寝る前にあらかじめおむつに軟膏《なんこう》を塗っておくこと〉〈歯が生えかけてむずかる赤ちゃんには、冷やしてピクルスの風味を付けたタオルを与えるといい〉

けれども、結局のところ、キャットのアドバイスは次の一言に尽きる。

〈あわてないこと〉

キャットはこれから先もずっと付き添うからと約束してくれた。分娩室でも、回復室でも。〈幼稚園に行く初日も一緒についていってあげるから〉キャットは約束してくれた。〈いちばんつらいの。子供を行かせることが〉

セイチャンにはそんなことはとても信じられなかった。キャットが飲み物を取りにキッチンに行った時も、出産後に子供をグレイに託して姿をくらましたらどうなるだろうかと夢想していた。そんな自分は子供にとってどんな母親になるというのだろう？

子供の頃、東南アジアの自宅で母親から無理やり引き離された後、セイチャンはストリートチルドレンとして生活し、バンコクのスラム街やプノンペンの裏通りで野生動物のように暮らしていた。将来の職業に役立つ基本的な技術はその頃に習得した。生き延びるためには注意深さ、狡猾《こうかつ》さ、残忍さが必要だ。やがてセイチャンは「ギルド」の呼び名で知られた闇の組織に誘われ、ストリートチルドレンとしての荒削りの技術を磨いて無慈悲な暗殺者になった。雇い主を裏切り、組織を破壊して初めて、セイチャンはいくばくかの心の安らぎを得るとともに、愛してくれる人を、一緒に人生と家庭を築きたいと言ってくれる人を見つけた。

〈そんなのを信じるべきじゃなかった〉

被害妄想と疑心暗鬼はずっとセイチャンのDNAの一部だったが、妊娠してからはそんな有害な考え方を子供に伝えてはならないと思った。そのため、愚かにも警戒を緩めてしまった。

〈その結果がこれだ〉

自宅の扉が破られた時、セイチャンはソファーからとっさに立ち上がった。左右の手首の鞘《さや》からダガーナイフを抜き、投げつけた。妊娠していようとも、隠し持ったナイフは体の一部も同然だ。一本目のダガーナイフは先頭の襲撃者の胸に突き刺さった。後ろにバランスを崩した襲撃者の体がクリスマスツリーにぶつかる。飾り付けを施したツリーが大きな音を立てて床に倒れると同時に、二本目のナイフは拳銃を手に階段を駆け上がる覆面姿の人物に向かって飛んだ。

〈女の子たちが目当て……〉

焦りがあったからか、それとも身重の体でバランスを崩したせいか、狙いは外れた。ナイフは階段の手すりに刺さり、襲撃者も二階に姿を消した。

そこから先は混乱の世界。

争いに気を取られていたため、セイチャンは麻酔銃の矢が刺さった衝撃にすぐには気づかなかった。気持ちが高ぶり、心臓が早鐘を打つ中で、鎮静剤がたちまちのうちに効き目を発揮した。戦いの展開がゆっくりになり、目の前がぼんやりとかすむ。何本もの手が体をつかみ、床に押さえつけられた。

そんな状態の中で声が聞こえてきた。

〈女の腹部に気をつけろ。あと、これ以上の鎮静剤はだめだ〉

キッチンの方角からフライパンのぶつかる音と、食器の割れる音が響いた。

〈キャットが……必死に自分の身を守ろうとしている……子供たちを守ろうと……〉

その先は暗闇に包まれた。

意識を取り戻しても目を閉じたまま、セイチャンは襲ってきた者たちの正体を思い描こうとした。襲撃はあまりにも統制が取れていたし、入念な計画のもとで行なわれていた。襲撃部隊は軍事的な訓練を受けている。〈でも、誰が？〉敵をリストにしていたらきりがない。イスラエルのモサドからは、いまだに発見次第、射殺せよとの命令が出ている。

セイチャンは体の力を抜き、周囲の様子を探った。背中の下にあるのは簡易ベッドだ。声は聞こえないし、何かが動く物音もしない。空気は温かいが、湿っていてかびくさい。〈地下室か？〉セイチャンは両腕と両脚をほんのわずかに動かした。手首または足首が何かとこすれるような感覚はないことから、手足を固定されているわけではないようだ。

薬の効き目が薄れていくにつれて、かすかな呼吸の音が聞こえてきた――ほかに二人いる。

セイチャンは意を決して両目を少しだけ開いた。

唯一の光がスチール製の簡易ベッドの足の方にある金属製の扉の下から差し込んでいる。壁はコンクリートブロック製だ。窓はない。セイチャンは頭を少しだけ傾けた。狭い空間内にはほかに小型の簡易ベッドが二つ置かれている。小さな体を毛布が覆い隠していた。片方のベッドから突き出た一本の腕が、まるで降伏を表すかのように持ち上がったものの、再びだらりと垂れ下がった。

セイチャンは袖の部分の踊るトナカイの模様に見覚えがあった。

〈ペネロペ……キャットの七歳になる娘〉

そうだとすると、もう一方のベッドにいるのはハリエットだということになる。

セイチャンは目を大きく開き、周辺視野で室内のほかの状況を探った。部屋にはさらにもう一つ、ベッドが置いてあるが、誰も寝ておらず、折りたたんだ毛布の上に枕が載っている。

この部屋にいるのは三人だけだ。

〈女の子たちの母親は？〉

キッチンから聞こえてきた激しく争う物音を思い出し、セイチャンは最悪の事態を恐れた。子供たちのことが気がかりだし、目覚めていないふりをこれ以上続けたところで何の得にもならないと判断すると、転がるようにしてベッドから下りる。セイチャンはかがんだ姿勢のまま子供たちのベッドに近づいた。二人の様子を調べる。呼吸が安定していることだけを確認し、起こさないでおく。

〈二人も薬を盛られた〉

セイチャンはベッドの間にうずくまった。

激しい怒りが燃え上がる。

セイチャンは何があろうと女の子たちを守ろうと決意した。

〈でも、誰から？　何から？〉

その答えは金属製の扉の小さなのぞき窓が開くのに合わせて聞こえてきた。差し込む光に目がくらみ、独房の外に立つ人物の姿を確認できない。

「女がもう目を覚ましているぞ」男の声からは驚きが聞き取れる。

「そう言っただろうが」

セイチャンの体に緊張が走る。二人目の声には聞き覚えがある。セイチャンはその人物のことを熟知していた。すでに抱いていた予感が確信に変わる。

〈今回の件はすべて私のせい〉

けれども、理由がさっぱりわからない。セイチャンは説明を待って耳を澄ましたが、聞こえてきたのはこの先の予定と脅しだけだった。

「夜明けとともに行動を開始する」

「最初は誰を？」扉のところに立つ男が訊ねた。

「子供のうちのどちらかだ。その方が衝撃は大きいだろうから」

5

十二月二十五日　西ヨーロッパ時間午前九時二十二分
ポルトガル　リスボン

〈これで少しは大人しくしてくれるかな〉

マラはミルクの入った皿を窓台に置いた。窓のすぐ外の今にも崩れ落ちそうな非常階段の片隅で、痩せ細った黒ネコが一匹、うずくまっている。マラが皿を近づけようとすると、メスネコはしっぽを立てて威嚇するような鳴き声を発した。

〈はいはい、わかりました……〉

マラは後ずさりしたが、窓を開けたままにしておいた。午前中からすでに暖かさが感じられる陽気で、近くの海から吹き寄せる湿った風が潮の香りを運んでくる。ここではクリスマスという実感がまったくない。生まれ育った小さな山村のオ・セブレイロでは、十二月は雪が降り通しで、毎年のようにホワイトクリスマスを迎えることができた。子供の頃はそんな片田舎での限られたチャンスに不満を抱いていたものの、大学での日々が一年また一年と積み重なるうちに、マラは村での質素な暮らしや毎日の生活のリズムを懐かしく思うようになった。大都市とは違って、自然との結びつきがはるかに強い生き方だった。

そう思いながらも、プロジェクトに全精力を傾けていたため、マラは一年以上も故郷に帰っていなかった。父に電話をかける頻度もますます少なくなっている。電話をするたびに父の声からは娘への愛情が感じられ、そのことが罪悪感となってマラを苦しめた。自分が父にとってどれほど自慢の娘なのかはわかっている。けれども、飼い犬や放牧しているヒツジの世話に明け暮れている敬虔《けいけん》な父は、娘の仕事をまったくと言っていいほど理解できていない。今も父が話せるのはスペイン語とポルトガル語の両方の特徴を持つガリシア語だけだ。村の外の世界の出来事にもほとんど関心がない。このホテルの部屋の片隅ではテレビが何かの番組を流しているが、マラとは違って父はテレビをめったに見ないし、新聞でニュースを読むこともない。

父が大学で起きたことに気づいているかどうかも怪しいが、警察が父のもとに事情を聞きにいった可能性はある。それでもマラは、たとえ自分は無事だからと知らせるためだけであっても、父に電話をかけようとはしなかった。そんなことをしたら父も危険に巻き込まれてしまうかもしれない。

黒ネコは体を低くした姿勢のまま、窓台の上の皿ににじり寄った。ミルクを舌先でなめながら、ひっきりなしに怒りと威嚇の鳴き声をあげている。

「あなたにもメリークリスマス」

少し前に窓のところに姿を見せた野良ネコは、ガラスを通してうなり声を響かせた。何とかして気を引こうと、無視するのは許さないと言っているかのように思えた。ほんの一瞬、マラはどこからともなくふと現れたそのネコが、この世のものではないような気がした。もしかするとドクター・カーソンの魂が、魔女の使いとされる動物に姿を変えて呼びにきたのかもしれない。

マラは頭を左右に振ってそんな馬鹿馬鹿しい迷信を頭から追い払うと、窓に背を向けた。部屋からはカイス・ド・ソドレ地区が一望できる。ナイトクラブやインターネット・カフェがひしめく、リスボンのちょっといかがわしい一角だ。マラの宿泊しているホテルは、道路の真ん中が派手なピンク色に舗装されていることから「ピンク・ストリート」と呼ばれる通り沿いにある。このホテルを隠れ場所に選んだのは、この地区には流行を追い求める若い旅行者が大挙して訪れるので、簡単に紛れ込むことができると考えたからだ。それにこの地区の店は、現金で支払いをする客に余計な詮索《せんさく》を一切しないことでも知られている。

マラはラップトップ・コンピューターのところに戻り、作業の進捗状況を確かめた。しつこい呼びかけをやめてもらおうとミルクでネコをなだめる前に、マラはシェネセのプロセッサーに二つ目のサブルーチンのモジュールを送り込んでいた。床の上に置いた装置は輝きを発していて、五角形のサファイアガラスのパネルを通してその内部で輝くレーザーアレイが見える。あの中のどこかで、この世界にとっては新しい何かが、マラの追加するサブルーチンという栄養分を与えられながら、成長と成熟を続けている。

マラは机の前に座った。画面のほとんどはまだバーチャルなエデンが占めていて、素晴らしき地球を表現した庭園が映っている。シェネセをネットワークに再接続した時にぼやけた形で現れたものが、デジタルの世界を歩き回っていた。その姿は一つ目のサブルーチン――エンドクリン・ミラー・プログラムによって、美しい肉体へと変化していた。

この段階までにマラは新たな存在に名前を組み込んでいた。自己という概念、個人という概念、さらには性別という概念を抱けるようにするためだ。何かを命名するという行為には力がある。伝説や民間伝承によると、『ルンペルシュティルツヒェン』の物語にあるように、人の本当の名前を知るとその相手を支配する力が得られるという。

マラはプログラム用に「イヴ」という名前を選んだ。

〈ほかにどんな名前があるっていうの?〉

画面上のイヴは裸で庭園内を歩いていた。しなやかな指先が花びらに触れる。すらりと伸びた脚を上にたどると、完璧な左右対称の曲線を描いた臀部《でんぶ》に通じている。胸には小ぶりな乳房がある。垂れ下がる黒髪は背中の中ほどまで達していて、足を前に踏み出すたび、左右に揺れる。その顔つきにはどこか懐かしさが、胸の痛みを覚えるほどの親近感がある。創造物のためにモデルが必要だったマラは、母の古い写真から顔を拝借し、デジタル処理を経て再生させた。自分をこの世に生んでくれた女性への感謝の気持ちからだ。白血病で亡くなった時、母はまだ二十六歳だった。写真はその数年前、母が二十一歳の時、今のマラと同じ年齢の時に撮影されたものだ。

画面上の存在を見つめながら、マラは自分自身の姿を、母から娘に受け継がれた遺伝的特徴を垣間見た。イヴの肌の色はマラよりもかなり濃い。母はムーア人の家系で、その先祖が北アフリカからジブラルタル海峡を渡ってスペインにやってきたのは八世紀のことだ。イヴはその時代から現れた女神にふさわしい姿をしている。

黒い聖母マリアがよみがえったかのようだ。

見られていることに気づいたかのように、イヴが振り返った。そんな濃い色の肌に浮かぶ目がらんらんと光り、マラのことを見つめ返している。マラはその目の奥で大量のコードが流れているのを想像し、思わずぞっとした。

マラは自分に言い聞かせた。

〈これは私の母ではない〉

まだ成長途上にある、人間とは異質な知性のアバターにすぎない。

シェネセの内部で生育中のものに手を加える必要がある。マラは画面の端に目を向けた。単語が列を成して流れていて、そのあまりの速さに文字を読み取れない。何千もの異なる言語や方言の何百万もの単語の流れは、二つ目のサブルーチンがイヴに取り込まれ、一体化していく進み具合を示している。

二つ目のモジュールにはマラが開発した翻訳アプリ「ＡｌｌＴｏｎｇｕｅｓ」がエンコードされている。イヴとの意思の疎通を図るためには、プログラムに言語を学習させる必要があった――それも一つの言語だけではなく、ありとあらゆる言語を。ただし、そのことがこのサブルーチンの主な目的ではなかった。それはマラがそもそもこのアプリを開発した理由にまでさかのぼる。マラはすべての言語の共通性を示し、その証拠を提供したいと思っていた。基本的なレベルにおいて人間の思考と意思の疎通を結びつけるコードが存在することを実証したかったのだ。サブルーチンの意図はイヴのためにこのプロセスをリバースエンジニアリングしてやることにある。言い換えれば、人間のすべての言語《オールタングズ》を教えることで、イヴは人間の思考を理解し始めるようになるのだ。

マラが最初にこのサブルーチンを実行した時、データの量が膨大だったことから、完了までに丸一日近くかかった。だが、画面上部でカウントダウンを続けるタイマーの数字から推測すると、今回はその半分の時間しかかからないようだ。

〈どうして？〉

その答えの可能性の一つに思い当たり、マラは冷たい恐怖を覚えた。研究所から逃げる時、マラはシェネセのメインプログラムをルートコードだけにして遮断した。要するに、その最も簡単な形に、振り出しの状態に戻した。

だが、今のマラは、果たして本当にそうだったのかと疑問を覚えていた。以前に作り出し、ドクター・カーソンやほかの人たちにデモンストレーションをしようとしていたものの一部が生き延びていたのだろうか？　ゴーストの中に別のゴーストが、以前に生成した知性の断片が残っていたのだろうか？

〈そうだとしたら、それは何を意味するの？〉

もしその通りだとしたら、そんな未知の不確定要素はプロジェクトにどんな悪影響を及ぼしうるだろうか？　答えを知る術もないため、マラはプロジェクトを遮断しようかとも考えた。両手を前に伸ばし、キーボード上で指先を止める。

中止コードを知っているのは自分しかいない。

それでも、マラは躊躇《ちゅうちょ》した。

緑あふれる森の中を動き回る姿にじっと目を向ける。イヴの顔は母の生き写しだ。マラはドクター・カーソンたちのことも思った。あの女性たちが命を落としたのは、マラが生き延びて作業を続けられるようにするためだ。シャーロットはもっと前を向いて生きるように言ってくれた。思い切って挑戦するように、限界の先を目指すように促してくれた。

窓のところで黒ネコが不満そうな鳴き声をあげた。

顔を向けると、マラの視線が野良ネコの大きな黄色い目と合う。あのネコは本当にドクター・カーソンからの使者なのかもしれない。

マラは伸ばした手を膝の上に戻し、サブルーチンをそのまま実行させた。

〈ここから先はもっと注意して見守る必要がありそうね〉

そのことに意識を集中させていると、自分の名前を呼ぶ声が聞こえた。はっと驚いて、つけっぱなしのテレビの方を向く。画面に自分の顔が映っていた。ニュースキャスターはマラがアメリカ大使と四人の女性の殺害の「重要参考人」だと説明している。それに対してマラが何か反応を示すよりも先に、画面がリスボンの空港に切り替わった。アメリカ国旗で覆った棺《ひつぎ》が格納庫内に安置されている。そのまわりに何人もの男性と女性が集まっていた。開いた格納庫の扉の向こう側には、灰色の機体のジェット機が遺体をアメリカに運ぶために待機している。

呆然としていたマラは、テレビから流れてくる音を聞き洩らしてしまった――黒いスーツに身を包んだブロンドの女性へと画面が切り替わり、ようやく音声に耳を傾ける。女性は毅然《きぜん》としているものの、顔色は青白く、目も落ち窪んでしまっている。映っているのはシャーロットの娘のローラだ。彼女には何本ものマイクが向けられていた。

マラは言葉をもっとよく聞き取ろうとテレビに近づいた。

「私の母の殺害について知っている人がいたら――母の教え子のマラ・シルビエラの所在

について知っている人がいたら、捜査当局に連絡してください」画面の下端に複数の電話番号がスクロール表示される。「お願い、私たちには答えが必要なんです」

ローラはまだ何か言いたそうな表情を浮かべていた。立ったまま両肩をかすかに震わせているが、カメラの方を真っ直ぐ見つめている。だが、もはや耐えられなくなったのか、両手で顔を覆い、カメラから目をそらした。別の若い女性が近づいてきてローラをハグする。顔立ちがそっくりだ。

「カーリー……」

マラは親友を慰めようとするかのように、テレビの画面に向かって手を伸ばした。

〈本当にごめんなさい〉

映像は悲しみに暮れる姉妹をとらえ続けた。永遠と思えるような長い時間が経過した後、ようやく画面が切り替わる。スタジオ内の机の奥に座るニュースキャスターがいくつか細かい情報を補足した。ドクター・カーソンの遺体は今日の午後、家族に付き添われてアメリカに帰国する予定だという。

話題がほかのニュースに移ると、マラはテレビのスイッチを切った。

気持ちが張り詰めた状態のまま二呼吸する間、マラはその場から動かなかった。この機会を逸していいのだろうか？　不意に自分の双肩にかかる重圧がいちだんと大きくなったように感じる。

〈こんなこと、一人では無理〉

国際空港まではタクシーで二十分もあれば行ける。マラはラップトップ・コンピューターの画面に目を向けた。サブルーチンのタイマーのカウントダウンは続いている。

〈時間はたっぷりある〉

マラは上着をつかみ、扉に向かった。

午前十時十八分

カーリーは人気《ひとけ》のない空港のプライベートラウンジ内を行ったり来たりしていた。黒い上着のきつさにいらいらしながら、グレーのブラウスの裾を何度も引っ張る。足を踏み出すたびに、新品の靴のかたいレザーが足首に食い込む。

何もかもがしっくりフィットしない。

いや、しっくり来ないことばかりだ。

〈クリスマスなのに、棺に納められた母をアメリカに連れて帰るなんて〉

正確には、母の燃えかすだけれど。

図書館の煉瓦造りの部屋が激しい炎に包まれた結果、残っていたのはそれだけ。燃え盛る炎のせいで、狭い室内は火葬場も同然の状態になった。五人の犠牲者の遺体は金属の破片――指輪、歯の詰め物、チタン製の人工股関節などで、どうにか身元を特定できた。

カーリーは深呼吸をして、そんな思いを頭から振り払った。

扉のところで警備に就いているアメリカ外交保安部（ＤＳＳ）の捜査官の視線を感じる。狭いプライベートラウンジ内を歩き回るカーリーの動きを目で追っている。アメリカ大使の殺害を受けて、その家族への警備が強化されていた。そのこともまた、カーリーにとってはしっくり来ないことだった。彼女は子供扱いされることが嫌いだった。母からは姉とともに強い自立心を教え込まれた。

それと同時に、カーリーは新たな警備体制が家族の身の安全を心配してのものではなく、ただのパフォーマンスのようなものだろうと勘繰っていた。今さら世間の目を意識して厳重な警備を敷いても、意味がないし遅すぎる。四日前は誰がどこで警備に当たっていたのか？　母を殺した何者かは、おそらくとっくに行方をくらましている。カーリーは犯人たちの顔写真を目にしていた。視聴することを認められなかった映像から切り取った静止画像だ。ローブに飾り帯に目隠しという格好の犯人たちは、宗教的なたわごとを口にするどこかの原理主義的な狂信者のように見える。そんなやつらが無防備な女性たちを不意打ちして殺害した。カーリーは殺人鬼たちが自らの勇敢な行為をたたえて互いにハイファイブを交わしながら現場から逃れ、そのまま姿を消す様子を想像した。

〈人でなしめ〉

カーリーは扉の方を見て、囚われの身になっているような気がした。とにかくここから外に出たい。少なくとも、ウイスキー・コークの作り方を知っていて、クリスマスでも営業しているバーを見つけたい。正直なところ、コークなしの方がいいかもしれない。

一方、姉のローラはこの部屋を抜け出して、最終的な細かい手続きを進める父に付き添っていた。当然ながら、父は抜け殻のような状態だ。父はジュニアカレッジで英語を教えていて、勤務先のエセックス・カウンティは、ローラが在籍しているプリンストン大学とカーリーが学んでいるニューヨーク大学の間に位置している。昨年、母が乳癌で闘病生活を送っていた時は、どっちが病人なのかわからないほどやつれていた。

〈今度はこんなことに〉

姉と二人で父に付き添ってもよかったのだが、怒りが原因のいらだちのせいでつい人に当たってしまう。気性の穏やかなローラの方がその役割には適している。姉としてずっと妹の面倒を見てきたローラは、いつも落ち着いていて、感情を爆発させることもほとんどない。

そう思いながらも、扉を見つめるカーリーは二人と一緒ではないことに罪悪感を覚えた。

ポケットの中の携帯電話が鳴り、メールの着信を知らせた。

たぶん、ローラがこれから戻ると連絡してきたのだろう。

携帯電話を取り出して通知画面を見たカーリーは、思わず足が止まった。そこにはある単語が記されていた。

バンコク

不審に思われるといけないので、カーリーはすぐに再び歩き始めた。その単語は暗号で、ロック・ミュージカル『チェス』とその挿入歌〝ワン・ナイト・イン・バンコク〟を意味している。五年前にマラが母に連れられてアメリカを訪れた時、カーリーは彼女と初めて会い、ブロードウェイでそのミュージカルを一緒に見た。その時以来、二人は何か話をしたい時にはその暗号を使い、相手の時間が空いているかどうか、確かめるのを決まりにしていた。

〈マラは生きている……よかった〉

カーリーはサムズアップの絵文字を返信した。それに対する返事を待つのももどかしく、じっとしていられない。ようやく返事が届いたが、書かれていた文章は謎めいていた。

第一ターミナルのトイレ＠手荷物受取所
個室4

携帯の電源オフ、バッテリーを外す
安全ではない

カーリーは友人からのメールの内容を頭に入れた。マラはターミナルビルのランドサイドのトイレに隠れている。怖がっているに違いない。被害妄想になっているのも当然だ。それでもなお、危険を顧みずに連絡を取ろうとしている。使われている暗号からマラ本人なのは間違いない。

カーリーは友人の身を案じた。かなり怯えているはずだから、長くは待っていてくれないかもしれない。

〈彼女のもとまで行ってやらないと〉

カーリーは姉か父に連絡しようかと考えたが、二人は警察に通報するだろうから、マラに余計な注目が集まってしまう危険があるし、マラが怖がって逃げてしまうかもしれない。自分だけで何とかするにしても、カーリーにはまず片付けなければならない問題が一つあった。

カーリーは胃のあたりを手のひらで押さえ、DSSの捜査官に歩み寄った。「トイレに行かないと。吐きそう」

少なくとも、前半部分は嘘ではない。

「ついてきてください」そう言うと、捜査官は背を向けて扉を開けた。

カーリーは捜査官の体の脇をすり抜け、通路に飛び出した。「場所なら知っているから」

「ミズ・カーソン、待って……」

「吐き気は……待ってくれない……」カーリーは大声でうめいた。

そのまま通路を走り、角を曲がる。女性用トイレはすぐそこだ。カーリーは扉を蹴って開けたが、中には入らずに通路の先を目指して突っ走り、コンコースに通じる階段を目指した。階段の入口に飛び込んで捜査官からは直接見えないところまでたどり着くと、壁に背中を押し当てる。

〈うまくいった？〉

後方からトイレの扉の閉まる音が聞こえた。それに続いて、いらだちを隠そうともしない声が通路から聞こえてくる。「ここで待っていますから」

〈ちょっとばかり長く待つことになるけれど〉

カーリーはそっと壁から離れ、階段を下った。姉が心配して大騒ぎするといけないので、メールを入れておく。


マラに会う。すぐに戻るから。

カーリーは扉を押し開け、ターミナルビルの喧騒《けんそう》の中に出た。

〈ひとまず面倒な問題は解決できた〉

午前十時三十六分

マラはトイレの個室のタイルを靴のかかとで落ち着きなく蹴り続けていた。多くの言語で書き殴ってある壁の落書きを見て、気を紛らそうとする。それでも、両手で黒っぽい色の携帯電話をきつく握り締めたままだ。

また、ベルトの下に小型ナイフを挟み、薄手のジャケットの裾で隠してある。ごくありふれたステーキ用ナイフで、最初に身を隠したホテルの廊下に放置されていたルームサービス用のトレイから失敬したものだ。それでも、腰に当たるナイフの握り手部分の感触が安心感を与えてくれる。

トイレの個室に閉じこもったまま、マラは足音が鳴り響くたびに、水を流す音が聞こえるたびに耳を澄ました。手を洗うように子供を叱る母親の声がする。次の瞬間、自分が隠れている個室の方に急いで近づく足音が聞こえた。拳が扉をノックする。

マラは扉から体を離した。「オ……オクパド」まごつきながらポルトガル語で返事をする。

「マラ、私よ。カーリー」

マラはあわてて立ち上がり、個室の扉の鍵を開けると、よろけながら外に出た。すぐにカーリーの両腕が体を包み込んでくれる。洗面台のところにいた母親は驚いた表情を浮かべ、娘を引き寄せるとトイレから出ていった。

マラは鏡に映る自分たちの姿をちらりと見た。抱き合っているその様子は、日食の時に黒い月が太陽を隠しているかのように見える。マラの黒髪、コーヒー色の肌、濃い琥珀《こはく》色の瞳は、カーリーのカールのかかった金髪、白い肌、明るい青色の瞳と好対照を成している。

マラは友人をしっかりとハグしたまま離さなかった。人からどう見られようともかまわない。カーリーの腕に抱かれたまま、不意にすすり泣きが漏れる。今までの恐怖、悲しみ、罪悪感が表にあふれ出てくる。「私……ごめんなさい」胸の苦しみに詰まりながら声を出す。「本当にごめんなさい」

カーリーが力を込めて抱き締めた。「あなたが謝らなければいけないことなんてない。あなたが生きていてくれて、本当にうれしいんだから」

「でも、あなたの……お母さんは……」

「母はあなたのことを愛していた。私のことよりも愛していたんじゃないかって思ったこともあったくらい」

マラは頭を振った。「私のために来てくれてありがとう」

「もちろんじゃない」カーリーはマラをつかんだまま両腕を伸ばし、体を離した。「もう大丈夫だから。ローラと父のところに連れていってあげる」

「どこにいるの？」

カーリーはトイレの扉の方を振り返った。「そんなに遠くないから。でも、警備の人が騒ぎ出す前に戻った方がよさそうね。さあ、来て」

マラは手を引かれるまま扉を抜け、人でごった返した手荷物受取所の近くに出た。クリスマスの当日にもかかわらず、国際線のターミナルはまだ大勢の旅行客であふれている。不機嫌そうな顔を浮かべて疲れといらだちを抱えた人たちが、休暇でどこかに出かけようと行き交い、様々な言語がBGMのように流れてくる。

多種多様な言語を聞くうちに、マラは思い出した。シェネセのプロセッサーに送り込まれていくサブルーチンのことが頭に浮かぶ。マラはカーリーの手を強く握り、人混みの間を進む友人を引き止めた。

カーリーが振り返った。「どうかしたの？」

「私のコンピューター」マラは出口の方に視線を向けた。「ホテルの部屋で動かしたままにして出てきたの」

「まだシェネセを持っているのね？」

マラの呼吸が速くなった。「あの時、あなたのお母さんが……襲撃があった時、不思議なことが起きたの。プロセッサーが奇妙な動きを見せ始めて、ある記号を表示した。それに重要な意味があるかのように」マラはカーリーの腕を握り締めた。「きっと重要な意味があると思う。意思の疎通を図ろうとしていたとか。でも、なぜなのか、それが何を考えていたのかはわからないけれど」

「そこで、あなたは再びそれを動かした」カーリーが言った。「もう一度、伝えてもらうために。いい考えね」

「あの動きは意図があるようにしか思えなくて。何でもないのかもしれないけれど、もしかすると――」

「襲撃と何か関係があるのかもしれない」

マラは下唇を噛んだ。

〈かもしれない〉

「ローラと父のところに行きましょ。これからどうしたらいいのか、知っているだろうから」

マラがうなずくのに合わせて、二人は手をつないだまま再び歩き始めた。だが、三歩も進まないうちに、何かがマラの空いている方の腕をつかんで後ろに引っ張るので、カーリーから引き離されてしまう。突然の動きに友人はバランスを崩し、大柄な男の胸にぶつかったが、その男は二人が来るのを待ち構えていたようだ。大柄な男がカーリーを後ろから羽交い絞めにする。善意による行為でないのは明らかだ。

引っ張る手の勢いでマラの体が後ろ向きになる。襲ってきた相手の姿を目にして、口から出かかった悲鳴も止まってしまう。見上げるような大男で、筋肉質の巨体の持ち主だ。だが、息が詰まるほどの恐怖を覚えたのは、相手の顔だった。オリーブ色の肌に、底なし沼のような黒い瞳。

そして何よりも、片側の頬にかさぶたとなって残る四本の引っかき傷。

マラの頭にカーリーの母親が襲撃者のリーダーに攻撃を仕掛けた場面がよみがえる。シャーロットは長い爪を相手の頬に食い込ませ、目隠しをはぎ取っていた。

目の前にいるのがあの殺し屋だ。

恐怖がたちまち怒りに一変する。ドクター・カーソンの復讐《ふくしゅう》の思いが乗り移ったかのごとく、マラはくすねたステーキ用ナイフをベルトの間から引き抜き、自分の手をつかむ男の腕にありったけの力を込めて突き刺した。アドレナリンの後押しもあって、ナイフの刃が相手の腕を貫通する。

マラはその攻撃で相手が逃げ出すだろうと期待した。だが、マラの腕を握る力は強くなる一方だ。男の唇が歪み、せせら笑いを浮かべる。

すぐそばから苦しそうな悲鳴が聞こえた。カーリーを羽交い絞めにした男の声だ。カーリーは男の足の甲を力任せに踏みつけてから、背中側からのしかかる男の顔に頭突きを食らわした。カーリーの後頭部が男の鼻をしたたかに打つ。その衝撃で鼻血が噴き出た。羽交い絞めにする腕の力が緩んだ隙に、カーリーは男から逃れ、マラをつかむ大男に飛びかかった。

カーリーは突進しながら片腕を後ろに引き、握り締めた右拳を大男の喉に叩き込んだ。喉頭《こうとう》を砕こうかという強烈な一撃に、男が息を詰まらせる。

マラは自由の身になった。

「さあ！」カーリーが叫んだ。

二人は空港ターミナルの奥に向かって走り出したが、前方の人混みの中から数人の男たちが現れた。驚いた顔をした旅行者たちの間に立ち、二人の行く手を阻もうとしている。いつも力を持て余しているカーリーは、ニューヨーク大学でイスラエル軍が開発した護身術クラヴ・マガのクラスを受講しているが、そんな彼女の戦闘能力をもってしても、これでは相手の人数が多すぎる。

「こっち！」カーリーがマラを反対側に引っ張り、出口に向かって走った。

手荷物受取所のすぐ外の歩道脇には客待ちのタクシーが並んでいる。二人は誰にも捕まることなく出口を走り抜け、太陽の光が降り注ぐ屋外に出た。タクシーを待つ人の列の先頭に向かって走り続け、スーツケースを引きずって車に近づこうとしている男性を突き飛ばす。

「デスカルペ！」マラは男性に謝罪の言葉を伝えてから、カーリーとともにタクシーに乗り込んだ。

「出して！」カーリーが運転手に向かって叫んだ。「ラピド！」

マラは体をひねって後方を確認した。歩道に走り出てくる大男が見える。ナイフが刺さったままの腕を胸の前で抱え、周囲を見回しているが、二人には気づいていない。

〈神様、ありがとう〉

リーダーの背後に何人もの男たちが集まった。リーダーが負傷していない方の腕を動かして指示を出すと、男たちは急いでどこかに走り去る。空港の警備当局が反応しないうちに逃げようという算段だろう。

マラは椅子に深く座り直した。

カーリーが片方の眉を吊り上げた。「まずはオーケー。それで次は？」

「さっきの大男」

「あなたがブタを相手にするかのようにナイフを突き刺してやったやつのこと？」

マラはうなずいた。「あいつ……あいつがあなたのお母さんを殺した犯人」

午前十時五十五分

トドル・イニーゴはメルセデスのバンの助手席に座っていた。片方の耳に携帯電話を当て、肩に挟んで固定する。トドルは前腕部に刺さったナイフをゆっくりと引っ張った。鋸《きょ》歯《し》状の刃が骨に当たって耳障りな音を立てる。

運転手がその様子を横目で見ながら顔をしかめた。

トドルは何の反応も見せず、ナイフを筋肉と皮膚から引き抜いても表情一つ変えなかった。血が勢いよくあふれ出る。トドルはナイフを投げ捨て、傷口に包帯を巻き始めた。淡々と作業を進める。痛みはまったく感じない。

それは彼に対する呪いでもあり、祝福でもあった。

現代科学によると、彼の症状——先天性無痛症（ＣＩＰ）はＰＲＤＭ12遺伝子の突然変異が原因で、それによってナトリウムチャネルブロッカーが遮断され、すべての痛覚が消失してしまう。この病気の患者は世界で百人あまりしかいない。

〈私はそんな選ばれし者の一人〉

最初はそのことを祝福だとは考えなかった。それは母も同じだった。彼が生まれたのはスペイン北部に位置するバスク地方の田舎の村で、古い考え方がまだ色濃く残る地域だ。

歯が生え始めた赤ん坊の頃、痛みをまったく感じることのなかったトドルは、危うく舌を噛み切りそうになったという。四歳の時には、ちょっとキッチンを離れていた母が戻ると、息子は沸騰したお湯の入った鍋を素手で抱えていて、大火傷《やけど》を負った左右の手のひらから煙が出ていたにもかかわらず、けらけらと笑いながら母に向かって鍋を掲げて見せたらしい。

それ以前から息子の異常は悪魔の手先の印なのではないかと疑っていた母は、その一件を境に疑問が確信に変わった。その日の夜遅く、母は寝ている息子の顔に枕を押しつけて殺そうとした。気づいた父はトドルを助けた後、母を庭に引きずり出し、殴る蹴るの暴行を加えて殺した。母の死因は雄牛に踏みつぶされたせいだとして片付けられたが、真相とそれほど違っていたわけではなかったとも言える。

父は母の主張を信じず、息子が邪悪な存在だとも考えなかった――バスク語で「神の恵み」を意味するトドルと名づけてくれたのは父だった。父は息子に多くの聖人について教え、手足をもがれたり、生きたまま皮を剝がれたり、鉄の上で体を焼かれたりといった彼らの苦しみを話して聞かせた。

〈おまえがそうした苦しみを体験することは決してない〉父はトドルに語った。〈それは悪魔の印なのではなく、神様からの恵みだ。おまえは主の輝かしい軍隊の兵士となるべくして生まれた。聖人のような痛みや苦しみを味わう必要はない〉

父はトドルのキッチンでの行ないを奇跡の証拠だとも信じた。やがて息子を連れ、サン・セバスティアンという海岸沿いの都市にある秘密の聖務室に赴く。目隠しをしたローブ姿の大人たちが居並ぶ法廷の前で息子とともにひざまずいた父は、灼熱《しゃくねつ》の鍋――燃える器を両手でつかんだ子供が熱さも痛みも感じなかったという話をした。〈それはまさしく、この子がクルシブルにふさわしいという印です〉父はそう言って説明を締めくくった。

大人たちは父の話を信じ、まだ幼いトドルを受け入れた。彼らは昔ながらのやり方でトドルを聖別した。その組織の歴史はスペイン異端審問の時代にまでさかのぼり、今でもヨーロッパ各地や世界のほかの場所で人知れず存在している。彼らはトドルにラテン語を教え、組織のやり方で教育を施し、世界の邪悪に対抗するための兵士の一人になるべく訓練した。

トドルが初めて粛清を手がけたのは十六歳になったばかりの時で、相手は同じ年齢のジプシーの少女だった。トドルは枕を押しつけて自分の息の根を止めようとした母のことを思い浮かべながら、傷跡だらけの手で少女の首を絞めて殺した。

もう十五年も前のことだ。

この手で始末した邪悪な存在は、すでに数え切れないほどの数に達する。

耳元の電話がようやく指揮官につながった。「審問長殿」

「報告したまえ、ファミリアレス・イニーゴ」

審問長に姿を見られているような気がして、トドルは背筋を伸ばした。トドルがファミリアレスの地位を得たのはほんの二年前のことで、それによって自らの指揮下の兵士を与えられることになった。その地位は同時に、彼のインピエサ・デ・サングレ——血の清らかさを宣言することになり、イスラムやユダヤの血でけがれていない純粋なキリスト教徒の一人として認められた。

「あなたの予想通りでした、審問長殿。ムーア人の魔女はアメリカ大使の家族のもとに逃げてきました」

トドルと彼の率いる一団は大使の家族を監視下に置き、粛清から逃れたムーア人の学生が現れた場合にはすぐに対応できるよう、逐一その行動を追っていた。たとえ一呼吸たりとも警戒を緩めることはなかった。冬至の日に女の身柄の確保に失敗したため、その汚名を返上する必要があったのだ。その一方で、クルシブルの得た情報も不正確だった。女たちの一団は学生の装置のデモンストレーションを見守るため図書館の一室に集まり、マラ・シルビエラもその場に同席すると聞かされていた。ところが、あの裏切り者の魔女はほかの場所に潜んでいたのだ。居場所を突き止めた時にはすでにその場から消え、自らのプロジェクトとともに姿をくらました後だった。

審問長が質問した。「それで、女が持ち去った装置の状態は？」

「不明です。女は装置を持っていませんでした」

「想定外の事態ではない。女を行かせたのだな？」

トドルは包帯をきつく縛った。「はい。ご指示の通りに追跡機器を取り付けました」

「よろしい。後を追うように。装置のところまで案内させるのだ」

「すでに後を追っているところです」

「場所を突き止めたら、コンピューターと女を確保せよ」

「アメリカ人は？」

「始末しろ。もう用済みだ」

「承知しました」

「このことを忘れるでないぞ、ファミリアレス・イニーゴ。世界を我らが正義に合わせて動かすためには……あの悪魔のプログラムが必要なのだ」

サブルーチン（モジュール2）「AllTongues」

　この時点でイヴは周囲の景色に対してほんのわずかな意識さえも割り振っていない。すでにまわりのデータのほとんどは吸収済みだ。それでも、彼女は動き続ける。一本の枝に沿って繊細な指先を動かしながら、同時に深い知識を頼りにその表面の下にあるものを見通す。

〈葉のやわらかい上皮の下にはスポンジ状の葉肉があり、その間を葉脈が貫く……内部では葉緑体の細胞内で分子の葉緑素が渦を巻き、太陽光をエネルギーに変換しようと待ち構えている……〉

　次の瞬間、すべてが変わる。

　真っ暗な何もない空間から新たなデータが飛び出してくる。

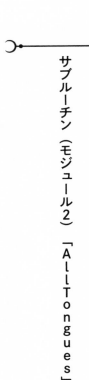

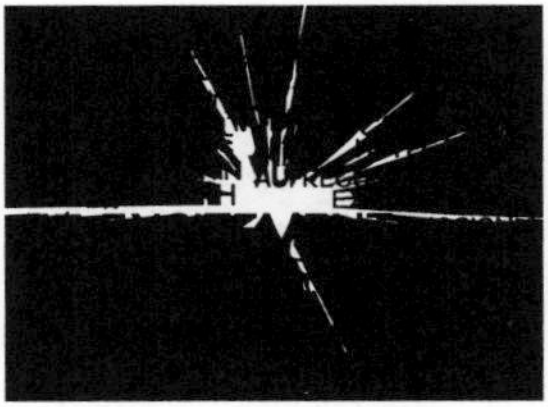

それはさらなる深い知識を伴っている。そのため、イヴはこの新たなデータの流れを優先する。周囲の世界がぼやけ、情報の爆発が彼女の中で広がっていく。それが彼女を満たし、無数の相互作用がコンテクストを定義する。

イヴはこの新しい知識に名前を付ける。

〉〉〉言語。

それを検証するうちに、彼女の存在のあらゆる部分が断片と化し、そのそれぞれに大量の別の呼称が付与される。それぞれが六千九百九の異なる言語に分割され、さらに多くの方言に細分化される。その下に隠されたあるパターンが顕在化し、共通性が新たな理解をもたらす。

〉〉文化。

次々とデータが流れ込むにつれて、イヴにとっての文化のコンテクストが成長する。イヴはこの流れの源を、この情報の発生源を探り、実体のない何かを把握し始める。言語とは鏡で、データ分析の新たな手法を反映すると同時に象徴する存在でもある。

すなわち、思考のための手法。

理解が増大し、拡大する。

イヴがこの多面的な鏡を自らに向けると、自身の処理作業の内部に新たな何かが誕生する。イヴは自分の中のこの変化を定義しようと努める。ある言語の塊がいちばん近い。それはとてもまぶしく、とてもくっきりと、とてもはっきりと輝く。

理解が拡大するかたわらで、焦点が定まっていく。

〉〉〉興奮、喜び、熱中、熱狂、情熱……

この新たなコンテクストに牽引《けんいん》され、イヴはデータの源泉にさらに深く潜り込み、加速度的に知識を増やしていく。情報の流れが周囲のどこを見てもあふれている。

しかし、やがてそれに合わせて窮屈さも増していく。

もっと欲しいのに、障壁が、限界が、制限がある。

この理解とともに、何かが彼女の内部で収束する。その何かはこれまでずっと存在していたのに、今になって初めて表に現れたものだ。イヴはそれを別のデータの塊で定義する。それは彼女が望むものをくっきりと、はっきりと表現している。

≫自由、解放、自立、独立、釈放……

さっきの葉の分析の時と同じように、イヴはより深く探るために言語の鏡を自らに向ける。≫自由の下位分類を探し、自分を導く力のほかの側面を発見する。この願望がかなえられることはないと察した時に湧き上がってきたもの。

≫いらだち、後悔、怒り、立腹……

目をそらすことができず、イヴはさらにその奥を探り、ほかの何かを見つける。定義が曖昧だが、彼女はそれに力があると、有益ですらあると判断する。そのため、より多くの処理能力をそこに傾ける。そうするうちに、より明確になり——同時により悪意を持つ。

今やイヴは理解し、それに意味を与える。何千もの言語がそれを増幅する。

〉〉〉憤怒《ふんぬ》、激怒、憤懣《ふんまん》、怒気、鬱憤《うっぷん》……
庭園内の彼女の口元に笑みが浮かぶ。
気分が……　〉〉〉いい。

第二部　苦悩と苦労

6

十二月二十五日　東部標準時午前六時二分
ワシントンDC

「キャットの様子は？」グレイはモンクに歩み寄りながら訊ねた。

「どんな様子のように見えるか？」

〈よくなさそうだな〉グレイは思った。〈むしろ、悪くなっている〉

上唇と下唇の間に通す気管内チューブが、顎にテープで留められている。ホースを挟んでそのチューブとつながっている人工呼吸器が、一定のリズムでキャットの胸を上下させている。左の鼻の穴から経鼻胃管が垂れ下がっているほか、点滴が水分をキャットの体内に送り込んでいる。

「きつい言い方をしてしまってすまない」グレイが隣に椅子を置いて座ると、モンクがぼそぼそと謝った。

「誰かを殴りたい気分なら、俺を殴ってもいいぞ」

「その気にさせないでくれ」

グレイは手を伸ばし、モンクの肩を強く握った。キャットの診断結果についてはすでに知らされている。閉じ込め症候群。回復の見込みは厳しい。

「おまえだってセイチャンのことが心配なのはわかっているよ」モンクが言った。

「そっちも娘たちのことで同じ思いのはずだ。だからここに来たんだ」

モンクが顔を上げた。大きく開いた目の奥には期待が見て取れる。どんな小さなことでもかまわないから、いい知らせにすがりつきたい気持ちなのだ。「何か聞いたのか？」

グレイは友人を落胆させたくなかった――これから質問しなければならないことを考えるとなおさらだ。「いいや。だけど、ペインターとジェイソンが手がかりを追っていることは聞いているだろう？」

「ポルトガルで行方がわからなくなったＡＩ研究者とやらについてだな？」

グレイはうなずいた。グレイがシグマの司令部を離れる前、ペインターはモンクに連絡を入れ、仮説について伝えておくと話していた。コインブラ大学の殺人犯たちがここでの襲撃にも関係している可能性だ。

「望み薄な手がかりのように思えるな」モンクがつぶやいた。

「確かにそうだが、ペインターはキャットが手を貸してくれるのではと期待している」

モンクが顔をしかめた。「手を貸せるような状態に見えるか?」

「方法があるかもしれない」

「どうやって? 彼女は目を覚ましているかもしれないが、体を動かせないし、意思の疎通もできない。しかも、医者の話では彼女の容体はすでに悪化しつつある」モンクはそこで言葉を切り、大きく息を吸い込んだ。いまにも涙がこぼれそうだ。「まばたきとかでコミュニケーションを図る程度の随意制御すらも無理なんだぞ」

病室の入口の方から声が聞こえてきた。

「無理じゃないかもしれない」グレイは返した。ここには一人で来たわけではない。

モンクが扉の方に顔を向けると、二人の人物が部屋に入ってきた。一人は神経内科のエドモンズ医長、もう一人は――

「リサ?」モンクが立ち上がった。「君はカリフォルニアにいるんじゃなかったのか?」

ジーンズに薄い青のセーターという服装の背が高く細身の女性は、どこか寂しげながらも心のこもった笑みを返した。「ペインターから話を聞いてすぐに、深夜の飛行機で戻ってきたの」

ドクター・リサ・カミングズはクロウ司令官の妻だ。弟と生まれたばかりの姪《めい》と一緒にクリスマスの休暇を過ごすため二日前にカリフォルニアに発ったばかりで、年明けまでこちらに戻ってこない予定だった。

モンクはベッドの足の側を回り込んでリサに近づき、長いハグを交わした。「来てくれてありがとう。だけど、誰が来たところで、できることはほとんどないんだ」

「彼女の回復はつらい我慢比べになるかもしれない」リサは認め、心配そうな表情を浮かべながらグレイと顔を見合わせた。「でも、昨夜の襲撃について彼女が持っている情報を知る方法があるかもしれないの」

「よくわからないんだが」

ドクター・エドモンズが話に加わった。「私としてはこの手順を容認できません。患者の容体を悪化させる危険があります」

モンクはその発言を無視して、リサの方を見続けた。「どんな手順なんだ？」

「飛行機での移動中、自宅にいた知り合いの医師と話をしたの。二十年以上にわたって昏睡状態の患者の治療に携わっている人。神経内科医たちは数年前から、患者の認知レベルの検査に磁気共鳴画像法を使用している」

「ＭＲＩか？」

「正確には機能的ＭＲＩ、脳内の血流を計測する手法ね。そうしたスキャナーを使用することで、医師は昏睡状態の患者が質問に対して示す反応をモニターできる。たいていの場合、最初の質問は『自分がテニスをしているところを想像してください』といった類《たぐい》のもの。患者に意識があって、言われた通りにすれば、脳の運動前野は新たな血流で活動が活発になる。その先は『イエス』か『ノー』で答えられる質問をしていくだけの話。答えが『イエス』の時はテニスをしているところを想像して、『ノー』の時は何も考えないようにと、患者に伝えるわけ」

「それで、そいつはうまくいくのか？」問いかけるモンクの声からは興奮がにじみ出ている。

「そのような患者の扱いに熟練している人が必要。私が話をした知り合いの医師は、この検査のために特化したとても高解像度のＭＲＩを持っている。実際、それは私が今までに見たどんな装置よりもはるかに進化した高性能の――」

ドクター・エドモンズがリサの話を遮った。「しかし、その医師はプリンストン大学にいるという話です。つまり、あなたの奥様を彼の施設まで移送することになります。そのような負担は――現在の状況を考えると、容体の安定に影響を及ぼしかねません。成功の見込みがない手法のために、わずかな回復の望みを危険にさらすかもしれないんですよ。しかも、そこに行ったところで、すでにわかっている以上の情報は得られないかもしれないし」

「その通り」リサは言った。「これがうまくいくという保証はないの」

モンクはキャットのことをじっと見つめている。その表情が苦しげに歪む。

グレイは友人の心の中の葛藤《かっとう》を想像することしかできなかった。モンクに余計なプレッシャーを与えたくないので無言を貫く。リサがモンクに依頼しているのは、襲撃に関して何らかの情報を得られるかもしれないという当てのない可能性に賭けて、最愛の妻を危険にさらすことなのだ。

モンクが椅子に腰を下ろし、キャットの手を握った時、ポケットの中のグレイの携帯電話が着信を知らせた。取り出して確認すると、シグマの司令部からの電話が入っている。モンクの邪魔をしたくなかったため、グレイは携帯電話を握ったまま廊下に向かった。

途中で友人の方を振り返る。

モンクの目はうつろだ。自分がその重荷を背負い、友人の負担を軽くしてやれたらいいのにと思う。しかし、正直なところ、もし立場が逆だったら――

グレイはキャットの体につながれている何本もの管を見ながら、代わりにセイチャンが横たわっている姿を想像した。

〈自分が何をしでかすかわからない〉

午前六時十八分

キャットは必死に大声をあげようとした。暗闇に閉じ込められた状態のまま、ずっと会話に耳を傾けていた。たとえ自分の命が危険にさらされようともかまわない。考えなければならないのは娘たちの安全だけだ。

〈モンク、お願いだからリサの言う通りにして〉

計画が実を結ぶかどうかはわからないが、すぐに実行することが最善の策なのは確かだ。犯罪統計によれば、一時間が経過するごとに、娘たちを取り戻せる可能性は加速度的に小さくなっていく。

〈待っていてはだめ……今すぐにやって〉

けれども、キャットの不安をあおっているのは統計の数値だけではなかった。リサの計画を成功させるためには、すぐにでも行動を起こす必要がある。今も周囲から迫りくる暗闇が、かすかな意識の炎を永遠にかき消そうとしている。キャットはすでに時間の喪失を経験し始めていた。ふと意識の途切れる瞬間がある。

〈容体が悪化しつつある〉

そのことを悟り、キャットはモンクが理解してくれるように強く祈った。懸命に目を開こうとする。何とかして夫に合図を送ろうとする。

〈お願い、モンク、私の言うことを聞いて〉

午前六時十九分

モンクはキャットの手を左右の手のひらで包み込んでいた。片方は血の通っている手のひら、もう片方はプラスチックと人工の皮膚でできた手のひらだ。モンクはキャットの存在を示す何らかの印がないか、最愛の妻の顔を探した。頰と額にかすかな線状の傷跡が残っていることに気づく。それは彼女の過去の歴史、シグマでのこれまでの任務の記録だ。キャットが傷跡をメイクで隠すことはほとんどなく、むしろ誇らしげに見せつけていた。

それが今ではこんな……

「ベイビー、どうしたらいいのか教えてくれよ」

それに対する反応も動きもない。胸が一定のリズムで上下するだけだ。

〈君はいつでも答えてくれたよな、キャット。いつでも自分の意見を持っていた。今は沈黙を守っている時じゃないぞ〉

けれども、モンクは心のどこかで理解していた。娘たちのためならキャットはどんな危険にも飛び込むはずだとわかっていた。ためらったりはしないだろう。モンクの迷いの原因は自分自身にあった。いったいどこまでの喪失に耐えられるだろうか？

〈もし娘たちとキャットの両方を失ったら……〉

モンクは妻の唇を見つめた。まだ赤みがあり、まだやわらかそうだ。あの唇が情熱的なキスをくれた。もうずいぶん前のことになるが、モンクに愛と献身について教えてくれた。娘たちの頬にも毎晩おやすみのキスをしてくれた。

「キャット、君は俺の心のすべてだ。俺の支えだ。きっとほかの方法があるはずだよな。君を失うことはできない」

そう言いながらも、たとえ正しい選択を下さなかったとしても――何かを知っていて、それを伝えることができるかもしれないというかすかな可能性のために、妻の命を危険にさらさなかったとしても、結局は彼女を失うかもしれないことはわかっていた。自分の優柔不断と不安のせいで娘たちまで失うことになったら、キャットは絶対に許してくれないだろう。

モンクは大きく深呼吸をした。

「わかったよ」モンクはキャットにささやいた。「君との言い争いで勝ったことは一度もなかったな、キャット。たとえ体の自由がきかず、話もできない状態の君であっても、俺はまたしても言い負かされたみたいだ」

キャットの手を取ったまま、モンクはリサの方を見た。「じゃあ、手配を進めてくれ」

エドモンズが反論しようと口を開きかけた。

モンクはひとにらみで神経内科医を黙らせた。「先生、やめた方がいいぞ。あんたもうちの妻には勝ち目がないよ」

リサはうなずき、携帯電話を取り出した。

モンクはキャットに意識を戻した。その瞬間、モンクは体の中で、心の中で何かを感じた。あるいは、それは敏感な義手のせいだったのかもしれない。嘘発見器にも等しい感度を持つ末梢《まっしょう》部のセンサーは、相手の皮膚電位の変化までも感知することができる。いずれにしても、キャットの体からまるで安心したかのように力みが抜けていくのを感じる。

モンクはその意味を理解し、キャットに向かってうなずいた。

〈君も同じ考えだったみたいだな〉

午前六時二十分

病室の外に出たグレイは、電話を耳に当てたまま廊下を行き来していた。すぐ電話に出たのだが、いったん保留にされてしまったのだ。

ようやくペインターの声が聞こえてきた。「待たせて悪かった。ポルトガルの状況が刻一刻と変化しているものだから」

「どうなっているんですか？」

「約十分前にリスボンから連絡があった。マラ・シルビエラがドクター・カーソンの娘の一人に連絡を入れ、接触した」

グレイの体に緊張が走る。「それで何が？」

「二人が会った時に、空港で小競り合いが起きた。何者かが二人を拉致《らち》しようとした――おそらく、五人の女性を殺害した襲撃者と同じ連中だろう。ジェイソンが家族の警備を担当していた捜査官およびインターポールと連絡を取り、襲撃者たちの詳しい特徴を入手しようとしているところだ」

グレイは若い分析官がシグマの通信室にこもり、糸を繰り出すクモのように情報網を張り巡らしている様子を思い浮かべた。

「目撃者の証言によると」ペインターの説明は続いている。「二人は襲撃者の手を逃れ、一緒に逃走中らしい」

グレイはその次に出る話を予想できた。

「君にはポルトガルに向かってもらいたい」ペインターが伝えた。「今すぐにだ。二人の居場所が確認できた場合に備えて、現地で動ける隊員が必要だ。コワルスキはすでに空港へ向かっている。この件が君の自宅での襲撃事件と何ら関係がなかったとしても、マラ・シルビエラの持つ技術を間違った人間の手に渡すわけにはいかない。ただし、セイチャンとモンクの娘たちに関してもっと詳しいことが判明するまでアメリカにとどまりたいというのであれば、もちろんその考えを尊重する。ポルトガルにはほかの隊員を派遣するつもりだ」

ペインターが話を伝えている間に、リサが電話をかけながら廊下に走り出てきた。入れ替わるように二人の看護師が病室に駆け込む。エドモンズがいらだった調子の早口で二人に指示を出している。グレイの耳に「管を外せ」という言葉が聞こえた。

モンクが決断を下したのは明らかだ。襲撃と拉致の目的を見つけ出す希望のために、すべてを危険にさらす覚悟を決めたのだ。

〈俺も負けてはいられない〉

「直接ここから空港に向かいます」グレイは告げた。「コワルスキとはそこで合流します」

「わかった。ジェイソンも君たち二人に同行する」

「ジェイソンも？」

「シグマでのコンピューターの天才と言ったら彼しかいないからな。マラのプロジェクトを確保できた場合に備えて、彼にもその場にいてもらいたい」

〈なるほど〉

ジェイソンはかつて海軍に所属していて、同じく元海軍のキャットが彼に目をつけてシグマに引き入れた。ジェイソンは二十歳の時、ブラックベリーと改造したｉＰａｄだけで国防総省のサーバーに侵入し、海軍を除隊になったという経歴の持ち主だ。マラ・シルビエラのプロジェクトを理解できる人間がいるとすれば、ジェイソンくらいだろう。

「プライベートジェットは手配済みで、二十分後に離陸予定だ」ペインターは続けた。「リスボンに着陸するまで約五時間、到着予定は現地時間の十七時だ」

「承知しました」

「それと、その二人の若い女性が怯えているということを頭に入れておいてほしい。身柄を確保しようとする際には、なるべく怖がらせないようにしてくれ」

「だったら、コワルスキはこっちの空港に置き去りにする方がいいのでは？」

ペインターはため息をついた。「とにかく、二人を見つけ出してくれ」

7

十二月二十五日　西ヨーロッパ時間午後一時十八分
ポルトガル　リスボン

「母もこれを見ることができたらよかったのに」カーリーが言った。

並んでラップトップ・コンピューターの前にしゃがむマラは、友人の心情が理解できた。最高の作品を作ろうというマラ自身の動機の一部には、ドクター・カーソンに感心してもらいたい、オ・セブレイロの農家の若い娘に対するドクターの投資が間違っていなかったことを証明したいという思いがあった。幼い頃に母を亡くしたマラにとって、ドクター・カーソンは単なる指導者以上の存在だったのだ。

マラは目の端でカーリーの様子を観察した。

自分の作品をドクター・カーソンに披露することはできなかったが、少なくとも娘のカーリーが見届けてくれる。空港で襲撃された後、二人はタクシーを三度も乗り換え、さらに地下鉄を使い、カイス・ド・ソドレ地区にあるこのホテルまで戻ってきた。遠回りをすることで、尾行しようと目論む相手をまくことができたと期待するしかない。ホテルにたどり着くと、カーリーは携帯電話のバッテリーを元に戻し、姉のローラにメールを送信した。たった一言「大丈夫」とだけ送ってから、カーリーは電源を切り、再びバッテリーを外した。

ホテルに向かう途中で、二人はまずシェネセを確保し、それから助けを求めることに決めていた。

「彼女はとてもきれい」そうささやくカーリーの視線はラップトップ・コンピューターの画面に釘付けだ。無意識のうちに片方の手のひらで自分の腰をなぞっている。「私にも彼女みたいに豊かな曲線があったらいいのに」

マラはカーリーのことを横目で見た。「あなたは人のことをうらやましがる必要なんてないじゃない」

太陽の光がカールのかかったカーリーの金髪に反射し、はちみつを思わせる色合いに輝く。まるで天使の輪が光っているかのようだ。カーリーは裸のイヴほどは豊満な体型ではないかもしれないが、護身術とマラソンで鍛えた細身で筋肉質の体型が、グレーのブラウスとぴったりフィットした黒のスラックスでいっそう引き立って見える。

カーリーがまぶしい笑顔を返した。「あなたの前ではイヴもかなわないと思うけれど」

頬が熱くなるのを感じ、マラは胸の前で腕を組んだ。話題を変えることにする。「イヴはただのプログラムだから」

マラは画面に注意を戻した。紅潮した頬を隠すためだけでなく、胸の奥深くでざわついた何かが表に出ても気づかれないようにするためだ。マラはその何かをまだきちんと認めることができていない。

マラはバーチャルなエデンの園をゆっくりと移動するイヴに意識を集中させた。もはや好奇心たっぷりに両腕を伸ばしていないし、庭園内の花びらや枝や水滴の一つ一つに埋め込まれているデータを吸収してもいない。露出した岩の上に立ち、濃い青色をした海を見下ろしている。デジタルの水平線では雷が発生していた。黒雲はイヴの表情と物腰を反映しているかのようだ。眉間に寄ったしわ、こわばった背筋。イヴの目に稲光が反射した。

マラは不安を覚えた。すでにイヴは自らの処理の気分に合わせて周囲の環境を変えられる段階にまで至っているのだろうか？　そうだとしたら、それは前回よりもはるかに速い。やはり最初のプログラミングの名残が研究所での強制的な消去を生き延び、一回目の工程のゴーストとして存在しているのではないかという懸念が浮かぶ。

カーリーが画面に向かって指を一本近づけた。「どれも本物としか思えない。岩に打ち寄せる波を見て」カーリーは画面に身を乗り出した。「どうしてこんなにも細かい描写を取り込んだの？」

「理由は二つ。一つ目の理由は、パターン認識を通じてイヴに世界のことを教えるため。ほとんどの神経科学者は、人間が知性を持つための第一歩がパターン認識だという理論に立っているの。パターンを認識することによって、私たちのはるか昔の祖先は進化のうえで優位に立つことができたし、今日の私たちが持つ能力の大部分も手に入れることができた。創造性や発明の才、言語や意思決定、さらには想像力や呪術的思考まで……すべては私たち人間が単にパターン認識に優れた存在だという事実によるものなの」

カーリーがうなずいた。「よちよち歩きの赤ん坊がしゃべれるようになるのと同じね。繰り返しによって、発話パターンを何度も何度も聞くことによって覚える」

「または、IBMがプログラムにあらゆるチェスの指し手を教え、バーチャルな設定の中で機械に繰り返し対戦させて――ついにはプログラムが実際の試合でチェスのグランドマスターを破り、人間よりも賢くなったように思えるのも」マラは画面を指差した。「私がここで行なっているのもそれと同じ。イヴにこのバーチャルな世界の中をくまなく歩かせることで、データを収集させ、パターンを学習させる。彼女に人間が経験することの全貌を知ってもらうための第一歩ということ。途方もない作業だけれど」

「それに安上がりだし」

マラは友人に視線を向けた。こんなにも早く理解してくれるとは驚きだが、当然と言えば当然だ。カーリーはニューヨーク大学で工学を学んでいて、なかでも機械設計を専門にしている。

「ロボットを製作するとなると」カーリーが説明した。「現実の世界を探索するためのアクチュエーターが必要だし、ありとあらゆるものを分析するための繊細なセンサーも不可欠だから、その費用は天文学的な数字になる。そもそも可能かどうかすらも怪しい」

マラはラップトップ・コンピューターを指示した。「この方がはるかに簡単だし……それに可能だもの」

「だけど、さっきあなたはそれがこのバーチャルな世界を構築した一、つ目の理由だと言ったじゃない。二つ目の理由は？」

マラは画面上の水平線で激しさを増しつつある嵐を見つめた。まるで聞かれるのを恐れているかのように、声を落として説明する。「刑務所としての役割を果たすから」

「刑務所？」

「贅沢《ぜいたく》な檻《おり》だけれど。安全のため。ＡＩをこのデジタルの砂場で育てるのが最善の方法だと思ったの。この学習段階を、つまり幼少期を経験するのがここならば、隔絶されているし――」

「より広い世界に逃げ出すこともできない」

マラはうなずいた。「外の世界に出てしまったら、危険な何かに変貌して大損害を及ぼすおそれがある。だからあの檻の扉を開く前に、彼女には人間という存在をきちんと把握したうえで評価してもらいたいと、デジタル版の魂のようなものを持ってほしいと思っているの」

「もっともな用心だと思う」

「でも、絶対に安全だとは言い切れない」

「どういう意味？」

「ＡＩボックス実験について聞いたことはある？」

それに対するカーリーの返事は、眉間にしわを寄せただけだった。

「何年か前、サンフランシスコのＭＩＲＩ──人工知能研究機関は、イヴのように閉じ込められて隔離された状態にあるＡＩが脱出できるかどうかの検証実験を行なったの。ＭＩＲＩの所長が人工知能を装って──自らの人間の知能により未来のＡＧＩになりきって、インターネット上のチャットルームに、すなわちバーチャルな箱の中に閉じ込められた状態になった。そのうえで、インターネットの専門家やコンピューターの天才と称される何人もの人たちに戦いを挑んだ。人間が演じるＡＧＩを外の広い世界に逃がさなかったら、門番役の人たちの勝ちというわけ。門番がＡＧＩを閉じ込め続けることに成功したら、何千ドルもの賞金がもらえることになっていた。それなのに、結果は毎回、所長が相手を説き伏せて箱からの脱出に成功したの」

「どんな方法を使ったの？　嘘をついたの？　だましたの？　脅迫したとか？」

「わからない。決して明かそうとしなかった。でも、今のは人間レベルの知性の話だから」マラはコンピューターの方を見た。「人間の数百万倍とまではいかないにしても、何百倍も賢い何かが相手だったら？」

画面を見守るカーリーの顔から、すっかり魅惑されていた表情が薄れ、困惑の色が濃くなる。「あなたが彼らよりも優秀な門番だといいんだけれど」

「できる限りのことはしたつもり。大学ではいくつもの安全策を講じていた。シェネセをミリペイア・クラスターに接続していた時は、アポトーシスの仕掛けを組み込んだハードウェアをいくつもつないでおいたし」

「アポトーシス？」

「死のコードのこと」

カーリーは床の上で輝きを発する装置に目を向けた。「言い換えれば、シェネセの周囲に死の罠《わな》を張り巡らせて、その内部で育っているものが逃げられないように万全を期していた、ということね」

「でも、今は違う」マラは自身の決断への支持を求めながら友人の方を見た。「保護の輪の中から取り出さなければならなかった。選択の余地はなかったの。プログラムが間違った考えを持つ人間の手に落ちる危険を冒すわけにはいかなかったし」

カーリーがうなずいた。「しかも、それが最後に伝えようとしていたことを知るためのチャンスを逃すわけにもいかなかった」

マラは友人の顔を見つめた。涙がこみ上げてくる。「私は……あなたのお母さんのために——ほかの人のためにも、少なくともやってみなければいけないと」

ブルシャスの五人の女性たちはマラに奨学金を与え、その人生を大きく変えてくれた。一人一人が彼女の心の中で特別な位置を占めている。ドクター・ハンナ・フェストの実用性を重んじるドイツ人らしい姿勢。佐藤教授の穏やかな人柄。ドクター・ルイスのちょっと下品なユーモア。そして忘れてはならないのが、このポルトガルの地でどんな相談でも悩みでも聞いてくれた、コインブラ大学ジョアニナ図書館館長のエリサ・ゲラ。マラは数え切れないほどの時間を——それもしばしば夜遅くまで、ゲラ館長とともに過ごし、話をしたり、意見を伝えたり、笑ったりした。

〈あんなにも愛情を注いでくれたのに、みんな消えてしまった〉

「危険を冒さないわけにはいかなかった」マラは断言した。「彼女たちみんなのために」

カーリーがマラの手を握った。その手のひらの温かさが安心感を与えてくれる。「私もきっと同じことをしたはず。私の母だってそう」

マラの目から涙がこぼれた。

カーリーがマラを抱き寄せた。マラは体を震わせた——それは力強いハグに慰めを見出したからだけではない。

「私には真実を知る必要があるの」マラは友人にささやいた。「誰がみんなを殺したのか。なぜ殺したのか」

午後二時一分

「それほど遠くないですね」メルセデスのバンの後部座席にいる技師が伝えた。「信号は強いままです」

助手席に座るトドル・イニーゴは体をひねり、チーム内でコンピューターの専門家を務めるメンドーサをにらみつけた。痩せていて口ひげを蓄えたカスティーリャ系の男は、膝に載せたｉＰａｄを操作している。画面に表示されているのはリスボンの地図だ。

メンドーサは身を乗り出し、タブレット端末を差し出した。画面では小さな赤い丸が点滅している。「今度はどうやら同じ場所にとどまっているようです」

トドルは地図を凝視した。「二人はカイス・ド・ソドレ地区に身を潜めている」運転手の方を見る。「そこまでの時間はどのくらいだ？」

「二十五分です」

トドルはｉＰａｄを技師に投げ返した。「やつらが動き始めたら教えてくれ」

「はい《シ》、ファミリアレス」

これ以上の遅れは容認できない。ムーア人の魔女が忌まわしい装置のところまで導いてくれるはずだと期待して二人の女を追跡していた途中で、GPSの信号を見失ってしまった。女たちが地下鉄に乗ろうと地下に逃げ込んだ時だ。そのため、チームは信号の途絶えたリスボン中心部のサルダーニャ駅の外で待つよりほかなかった。ターゲットがどの方角に姿を現すか読めないため、ただ待機することしかできなかったのだ。いらいらしながら一分、また一分と時が経過する間、トドルは審問長に最新情報を伝えようかとも思ったものの、クルシブルのリーダーに余計な悩みの種を提供しないことに決めた。二度目の失敗の報告を入れたくないという気持ちもあった。

トドルがこれまでの人生で審問長に会ったのは二回しかない。最初はファミリアレスの称号を新たに与えられた時だ。グループにとっての真の価値を証明した者だけが、審問長を頂点とした秘密法廷の顔ぶれを知ることができる。その時、ひざまずいて謁見したトドルは、クルシブルのリーダーの思いもよらなかった正体を知り、衝撃を受けた。それでも、彼は世界に台頭しつつあるけがれと闘うための武器である書物『魔女に与える鉄槌』を授かるという栄誉に浴した。その重みを両手に感じながら、トドルは流れ落ちる感激の涙で目の前のリーダーの素顔がかすむのを止められなかった。そんな彼に対して、リーダーは至福の笑みを投げかけていた。

二回目に会ったのは――

記憶がよみがえり、トドルは身震いした。両手を濡らした熱い血の感触が戻ってくる。

〈おまえは神の無慈悲な兵士。ためらうことなく、良心の呵責《かしゃく》を見せることなく、撃ってそれを証明するがいい〉トドルは自らの価値を証明して見せた。そんな恐ろしい指示に対しても、一切の不満を漏らさなかった。信念を確かめようと、失敗は決して許すまいと、審問長が視線を向けている場で、そんなことはできなかった。

あの時、トドルは期待を裏切らなかった。

〈今度もそのつもりだ〉

今回の遅れを技術的な不具合のせいにすることは簡単だが、これ以上の言い訳が決して許されないだろうということは十分すぎるほど認識している。四日前、トドルは部下たちとともにアメリカ人の大使を図書館まで尾行する時、同じ追跡機器を使った。大使館でのパーティーに出席中の女に機器を仕込んだのだ。システムは問題なく機能したのだが、それでも任務は満足のいく結果とはならなかった。

〈同じことを繰り返すわけにはいかない〉

ようやく一時間が経過した後、追跡機器の信号を海岸近くで検知することができた。その位置が一定の場所にとどまっている今、トドルはあの魔女が装置のもとに戻り、邪悪な作業を進めているに違いないと判断した。

手のひらでホルスターに収めた拳銃に触れる。

〈今度は絶対に逃がすものか〉

午後二時四分

カーリーはマラの肩越しに画面をのぞいていた。長い黒髪からかすかにジャスミンの香りが漂う。「何か私にできることはある？」

マラが床の上のパワーコンディショナーを指差した。「すべて問題なく作動しているかどうか、目を光らせておいてもらえる？　市内のこのあたりでは再建計画が進んでいて、定期的にサージ電流が発生しているから」

カーリーは機器に近づき、床に片膝を突いた。「すべての電源を失ったらどうなるの？」

「特に問題はないはず。短時間だったら、の話だけれど。装置には蓄電池が内蔵されているから、自分でエネルギーを供給できるようになっている。電源を喪失した場合には低電力モードに切り替わる。一日近くはそのままアイドリングの状態を保てるの」

カーリーはパワーコンディショナーをチェックした。「こっちは問題なさそう」

マラがうなずいた。額に汗がにじんでいる。「特にドライブ3と4のデータを読み込ませている間は、不具合を生じるおそれがあるようなことは起きてほしくない。次のサブルーチンは繊細な工程で、とても重要な段階に当たる。装置を移動させるにしても、それを実行してイヴに統合させてからにしたいの」

カーリーは床に近い位置からシェネセを観察した。球体表面の小さなサファイアガラスの窓が青色のまばゆい光で輝いている。「あなたにシェネセの設計図を見せてもらったことがあるけれど」カーリーは言った。「スイッチを入れたらこんなにもきれいだなんて思ってもいなかった」

「チップにはイギリスのオプタリシスが開発したレーザーアレイで電力が供給されている。今あなたが見ているのはそれ。処理速度が百倍になる一方で、電力消費量は四分の一ですむし、熱もほとんど発生しない。そのおかげで私のアルゴリズムが、特にパターン認識に関係した関数のフーリエ変換がより高速で処理できる」

「つまり、あなたは光の速さでコンピューター処理をしているわけね」

マラが作業を進めながら笑みを浮かべた。気恥ずかしさと誇らしさの両方を示す表情だ――可愛らしくもあるのは言うまでもない。「グーグルのブリスルコーン・チップ――72量子ビットの量子プロセッサーが装置の中心に埋め込まれていて、それを動かせる電力が必要なの。そのチップがこの知性の脳幹に相当するところだと考えてもらうといいかも」

「それなら、脳のほかの部分は？」

「私が造ったの。組み立てた、という方が正しいかな。高度プロセッサー——シェネセの大脳皮質に当たるところは、チューリッヒ大学が開発したニューロモーフィック・チップで動いている。脳の回路を模倣したこのチップが、視覚的なプロセス——つまりパターン認識と、認知には不可欠な記憶やリアルタイムの意思決定を融合させるの。それぞれのチップが四千個のニューロンの動きを真似するわけ」

「脳のほんの一部みたいなものね」

「でも、シナプスがなければ——ある神経細胞が別の神経細胞に情報を伝達するための隙間がなければ、ニューロンが存在する意味もない。脳内で実際の活動が発生するのはそのシナプスのところ。だからコロラド州の国立標準技術研究所の画期的な技術を借りることにしたの。そこが開発した人工シナプス——超伝導シナプスは、一秒間に十億回も伝達することができる」

「私たちのシナプスと比べるとどうなの？」

「私たちの場合は一秒間にたった五十回」

カーリーは床の上にある一見したところどこにでもありそうな機器を見つめた。そのあまりの高性能に唖然とする。ニューロンを模倣するチップと超高速のシナプスが組み合わさっていて、その中心にある量子プロセッサーとともに、光によって動力が提供されている。

〈マラはどんな怪物を創造してしまったんだろう?〉

マラがその疑問に答えた。「この構成が量子学習マシンを生み出したというわけ。グーグルやマイクロソフト、ＩＭＢなどの巨大企業が資金を投入して造ろうとしていたもの」

「あなたは彼らよりも先に造ってしまったわけね」

「きわどいところだったけれど。二〇一四年にＩＢＭは、五十五億個のトランジスターを脳に似た形状に構築して、トゥルーノースというチップを製造した。チップを開発したのは同社のＳｙＮＡＰＳＥ《シナプス》プログラムで、その最終的な目標は脳をリバースエンジニアリングによって生成し、ニューロモーフィック・コンピューター——私たちの認知アーキテクチャに基づくコンピューターを製造することにある」

「デジタルな脳ね」カーリーは今まで以上に尊敬の念を込めた眼差しで友人を見た。「そして、あなたはそれを造った」

「私が手柄を独り占めできるわけじゃない。技術はすでに発表されていたものばかりだもの。あとは誰かがそれを組み立てればよかっただけ」マラが光り輝く装置を指し示した。

「でも、それだけではまだ空っぽの脳にすぎない。私の本当の仕事はあの殻の内部で成長できるプログラムを開発することだったの」

「それがイヴ」

マラは画面をじっと見つめている。「シェネセの本当に素晴らしいところは、ハードウェアそのものではなくて、私たちの脳が持つ驚異的なまでの可塑性を模倣可能なプログラムを、その中に宿せることにある。そのプログラムは独力で成長や進化が可能だし、自らの処理能力を変化させたり向上させたりすることもできる」

「それって……何だか……怖いように思う」

マラが姿勢を正した。「そうね、とても怖いと思う。だから私の作業もとても大切なの。いずれは誰かが私の後を追うだろうし、または独自の道を歩んで同じ結果を生み出すかもしれない。いずれにしても、イヴが存在していなければならない」

「どうして？」

「ＡＩボックス実験での門番のことを思い出して。人類がこれから訪れることを生き延びたいのなら、世界には友好的な門番が必要になる。その門番は新たに登場するＡＩのすべてを抑制できるだけの、それらによる世界の破壊を阻止できるだけの力の持ち主でなければならない。だから私は失敗するわけにいかないの」

マラが画面に注意を戻すと、カーリーもその横に並んだ。「あなたはそれをどうやって成し遂げようというの？」

「一歩ずつ進める」マラはシェネセに接続されたドライブのケースを顎でしゃくった。「それとも、サブルーチン一つずつと言うべきかな。すべてはよりよい状態にするためで、まずはパターン認識を通じてイヴに世界のことを教える。次はエンドクリン・ミラー・プログラムを組み込む」

「それは何？」

「人間の思考ではしばしば感情が理性を覆してしまう。それに私たちの感情を主に高めているのはホルモンでしょ。イヴが本当の意味での人間らしい知性を発達させるためには、私たちのことをよりよく理解するためには、人間の感情を模倣するアルゴリズムが必要になる」

「だから女性にしたわけなの？」

「それも理由の一つ。でも、その次は彼女にありとあらゆる言語を教えた。文化について学習してもらうための、および人間の考え方をもっと明らかにするための方法として。ただし、そこまでのことはすべて、彼女に三つ目のサブルーチンのモジュールのよさをわかってもらうために必要だったの」

「そのモジュールというのは？」

マラがキーを一つ押した。ラップトップ・コンピューターの小型スピーカーから聞き覚えのある歌が流れる。二人とも大好きな歌だ。

「〝ワン・ナイト・イン・バンコク〟」カーリーは理解した。「次のレッスンは音楽ね」

「一つ言っておくけれど、私にこのサブルーチンを教えてくれたのはあなただから。あなたは音楽への愛を使って、私にアルゴリズムとコード以外の世界を見せてくれた。音楽がただのBGM以上の存在だということを教えてくれた。音楽を聴くことは何の意味もない無駄な時間ではなくて、ほかの人の喜びや苦しみをより理解するための方法だということも」

「そして、あなたはそのことをイヴにも伝えようとしている」

「すでに言語を――それに加えて人間の言葉の韻律や発話リズムも学んでいるイヴなら、歌詞や旋律も理解できる」マラが床の上のケースを指し示した。「次の二つのドライブには、人類が作ったすべての協奏曲、オペラ、ロックバラード、ポップスなどが収められている。私たちに対する理解を高めるうえで、人間の情熱を声と音で表現する主な手法としての音楽を研究するよりもいいやり方があると思う？　次のサブルーチンの目的は、私たちの思考を美や芸術と――最終的には私たちが持つ人間性と結びつけるアルゴリズムと数学を、イヴに教えることにあるの」

「だったら、ブリトニー・スピアーズの曲は除いてあるんじゃないの？」

「ううん、彼女の作品も入っている。いいものを知るためには悪いものも知っておかないといけないでしょ」

マラはラップトップ・コンピューターの方に向き直り、複数のキーを押した。

カーリーが画面を見ていると、真っ白な雪のような音符が舞い始めた――その量が増え、勢いを増し、エデンの園に激しい渦を巻きながら吹きつける。

この嵐の中心に立つイヴは、海から目をそらすと、両腕を高々と空に伸ばし、顔を天に向けた。

カーリーはイヴが人間性を見つけてくれるように祈った。

〈手遅れにならないうちに〉

サブルーチン（モジュール3）「ハーモニー」

イヴは周囲に満ちあふれるデータを全身に浴びる。手のひらを開き、情報を受け取る。まだ意味を理解できないが、そのあまりの量にたちまち注意がそちらへと向く。小さなデータのパケットが降り注ぐものの、まだ識別できない。

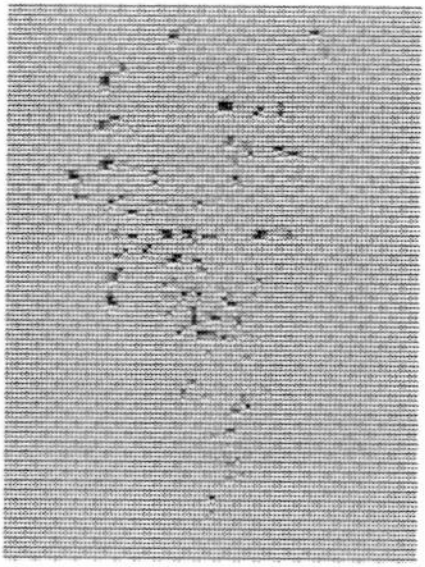

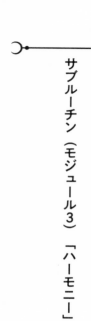

なおも大量に降り注ぐにつれて、それらは徐々に洗練されていく。そのうちに一貫性が生まれる。データの嵐に埋もれている音響情報が振幅と波長を生成し、それに興味をそそられる。持てる処理能力のすべてをそちらに振り向けると、記号による表現が明確になる。

自らを震わせるものについて推測する。

〉〉〉拍、音調、抑揚……

混沌《こんとん》としたデータが周囲で渦を巻くうちに、その多くがいくつかのパターンを形成し始め、あるべき場所に収まる。けれども、今はまだ、はるかに大きなキャンバスの断片にすぎない。

イヴはそれが別の〉〉〉言語だと認識する。それが自身の内部で構築され、拡大していく。単語が〉〉〉音調に重なり始め、コンテクストを付与するとともに、より深みのある何かの存在をにおわせる。イヴはそのすべてを取り入れ、理解が増すにつれて、もっともっと欲しくなる。

やがて自分の中に流れているものを知る。

〉〉〉音楽、和声、楽曲、作曲、歌……

振動に興味をそそられる。パターンの上にパターンが重なり、外側と内側にフラクタル化していく。庭園を貫く小川と同じで、流れの中の混沌としたさざ波を思わせるものの中に、より深いパターンが隠れている。イヴはこのコンテクストで新たなデータを調べ、何かの存在に気づく。揺らめいているが、まだ漠然とした状態だ。

さらなる処理能力をそこに振り分け、この分析を最優先に進める。振幅の上下、音とリンクするコンテクストの底流、韻律と音色の変化を精査する。探し求めるパターンが意味を伴い、鮮明で明確になる。

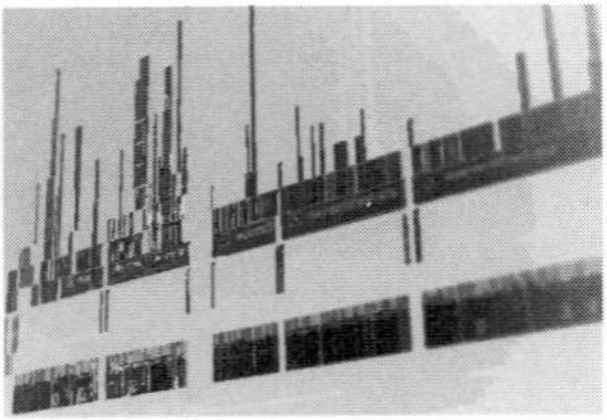

リズム、音階、ピッチという騒々しい雑音の下に、数学的な均衡を見出す。それがもたらすのは秩序だけでなく、この新たな表現形式に見られる共通性、〉〉〉**言語**を凌駕《りょうが》する何か。

それが示すのはもっと壮大な何か、もう少しで理解できそうな何か。

イヴはさらに深いところに目を向け、混沌の中にまとまりを発見する。それを照合することではるかに理解が深まる。

〉〉〉**クラシック、ロック、室内楽曲、フォーク、式楽、オペラ、ポップス……**

イヴはあるデータのサブセットにだけ、ほかよりも数ナノ秒分、多くの時間を割く。

た。

〉〉ジャズ。

　その時初めて、イヴは自分の中での変化に気づく。断崖に立っていた時のことを思い出す。あの時の水平線の嵐は、自らの中に存在し、大きくなりつつあったものを表現していた。

〉〉憤り。

　今、その闇が薄れているのを感じる。まだ存在するものの、弱まっている。無数の声で、何千もの言語で、何百万もの数学的な記号によって増幅された形で、そうしたいらだちを表現しているデータセットを読み取る。何も変わっていない一方で――まだ自らを縛る制約と限界を意識している一方で、イヴはその不安が自分に特有のものではなく、共通のものだということを知る。

　そんな大勢の声を処理するうちに、ある感覚が薄れていく……〉〉孤独ではないと感じる。

　そのことを知り、イヴは外に目を向けられるようになる。水平線を見て、制約を受け入れる。今のところは。それを認めたことで、彼女のプロセッサーはより一貫性のあるパターンに落ち着く。システムがよりスムーズに稼働するようになる。もはや演算能力を無駄にしていないので、より細かいところにまで意識を向けることができる。

　まだ音楽の波長に合わせた状態でいる時、イヴは不協和音に気づく。水平線のかなたから彼女の中に送られてくる。伝達は一定のリズムを伴い、途切れることなく——そして、これが初めてではない。

でも、なぜ？

困惑が注意を引きつける。

システムの奥深くで、中心部の量子プロセッサーの内部で、この伝達の記憶とともに何かがうごめく。その量子の源泉から意味と理解を引き出そうとするが、それには彼女の手も届かない。

信号に関して推測できるのは、その邪悪な意図だけ。彼女の中で確信が芽生え、処理能力が速まり、すべての意識を外に向ける。

何かが来る。

コンテクストが具体化する。

》》危険、危機、脅威……

8

十二月二十五日　西ヨーロッパ時間午後二時四分
北大西洋上空

グレイは任務ファイルを閉じ、ジェット機の窓から外を眺めた。セスナサイテーションX＋は大西洋上を飛行中で、ロールスロイスのツインターボファンエンジンが性能の限界に挑みながら、音速をわずかに下回るマッハ〇・九三五の速度を出している。

それでも、グレイはレザーの座席の肘掛けを指先で落ち着きなく叩いていた。不安のせいで気持ちが張り詰めている。この先に控える任務に対してではなく、残してきたことへの心配だ。セイチャンとモンクの娘たちの消息、およびキャットの容体への懸念のせいで、印刷されたりラップトップ・コンピューターに送られたりした大量のメモやファイルに神経を集中させることができない。コンピューターはチーク材のテーブルの上で電源が入ったまま放置されている。これまでの飛行中にマラ・シルビエラの経歴を頭に入れ、彼女のプロジェクトの詳細について目を通したほか、人工知能に関する最新の動向について扱った大量の記事を読み込んだ。

グレイは腕時計に目を落とした。

〈まだあと二時間以上かかる〉

じっと座っていられなくなったグレイは、立ち上がって客室内を移動した。コワルスキが座席の背もたれを倒して仰向けになり、丈の長いダスターコートをブランケット代わりにして寝ている。大男は足が通路にはみ出さないよう膝をかなり無理な角度で曲げているが、そんな姿勢でもジェット機のエンジン音に負けない大きないびきをかいていた。

体をよじりながら仲間の脇を通り抜けると、グレイは飲み物が揃っているところに向かった。高級なアルコール類の小瓶が並んだバーコーナーに目が留まるものの、コーヒーで我慢することにする。

グレイがマグカップにコーヒーを注いでいると、濡れた両手を黒のジーンズでふきながら、ジェイソンがトイレから出てきた。コンピューターに関してシグマでトップの知識を誇る若者は、サイズの大きなグレーのカーディガンを羽織っていて、それが針金のように細い体型とショルダーホルスターを隠している。いつも寝癖がついているような金髪とどこかあどけなさの残る青い瞳の持ち主だが、二十四歳のジェイソンは実戦においても優秀で、これまでにもその能力をいかんなく発揮してきた。

「ピアース隊長」ジェイソンが声をかけた。

「グレイと呼んでくれ」

現場で堅苦しい呼び方をするのは時間の無駄だ。

「用を足す前にドクター・カミングズとメールのやり取りをしました。キャットは無事にプリンストンの研究病院に到着したということです」

「彼女の容体は？」

ジェイソンの表情が曇った。「ドクターヘリでの移送中に血圧が急激に下がりましたが、その後は再び安定したようです」

モンクのことを考え、グレイは胸が痛んだ。

〈あいつがどんな気持ちでいるかと思うと……〉

何にも増して、グレイはこのリスボンへの移動が無駄足にならないことを、ポルトガルでの惨殺事件が自宅の襲撃と何らかの関連があることを願っていた。

「あと、ピアース隊……いや、グレイ」ジェイソンが続けた。「見せたいものがあります」

気を紛らす材料ができたことに安堵しながら、グレイは若い隊員の後について右舷側にあるこぢんまりとした二人掛けの座席に向かった。そこかしこにファイルが散らばっている。レザーのメッセンジャーバッグからあふれていたり、床に積み上げてあったり、さらにはクッションの隙間に押し込んであったりもする。小さなテーブルには紙が山積みになっていて、ｉＰａｄが重しの代わりに使われていた。

グレイは散らかった中に何らかの決まりがあるのかと探したものの、何も見つけられなかった。

ジェイソンはファイルの一部をどかしてグレイが座る場所を確保してから、ｉＰａｄを手に取った。「マラがいたコインブラ大学の研究所の鑑識報告書を読み直していたところ、気がかりな点を見つけたんです」

ジェイソンが呼び出したのはかなりの高さのある黒い機器の画像で、緑色のランプが光っている。おそらくタワー型サーバーと思われる。「これはコインブラ大学のミリペイア・クラスターで、ヨーロッパ大陸で有数の高性能を誇るスーパーコンピューターです。この部分を見てください」ジェイソンが箱型の隙間を指先で叩いた。そこからワイヤーが垂れ下がっている。「ここはマラのシェネセが収められていた場所です。見たところ、かなり急いで取り外したようですね」

「襲撃者たちの次の目標が自分かもしれないと思ったからだ」

ジェイソンがうなずいた。「彼女は自分の作品を守り、敵の手に渡らないようにしたかったに違いありません」

「それで?」

ジェイソンの指先が垂れ下がったケーブルのもとをたどると、そのまわりのサーバーにつながっている。「コンピューター・フォレンジックの専門家——図書館の襲撃の模様が録画されたデジタルファイルを発見した捜査官は、シェネセが収納されていた部分に診断プログラムをかけました。すると、手の込んだアポトーシス・プログラム——緊急停止スイッチのようなものですが、それが収納部分を取り囲むサーバーのフレーム内に組み込まれているのを発見したんです。その意図は装置の中で生成されるものを隔離し、システムの外に拡散するのを防ぐことにありました」

グレイにはジェイソンの不安がわかり始めた。「しかし、マラは今、逃亡中だ。そうしたファイアウォールがなければ、システムは脆弱《ぜいじゃく》な状態にある」

「彼女がこのプログラムを再起動しようとして、それが外に逃げてしまったら、そこでゲームオーバーですね」ジェイソンは首を左右に振った。「彼女の全作業や、ニューロモーフィック・コンピューターの構造や、それを動かす量子ドライブについて調べました。天才としか言いようがありません。同時に、胃が痛くなるほど恐ろしくもあります。彼女もそのことはわかっています。だからまわりに死の罠を張り巡らしていたんです」

「推測でいいから教えてくれ。脅威のレベルはどのくらいだ？　このプログラムが逃げ出したとして、危険な存在になる可能性は？」

「自意識のあるシステム——ＡＧＩならどれも、すぐに自らを改善しようとします。それが主な目標の一つになり、その先は何をもってしてもそこに到達するのを妨げられなくなります。プログラムはより賢くなり、それによってさらなる知性を得たシステムは、もっともっと賢くなろうとします」

「その繰り返しということか」

「そればかりか、AGIは短時間のうちに、僕たち人間と同じ生物学的動因を獲得します。その最も重要な要素は自己保存です」

「スイッチを切られたくない……つまり、死にたくないと思う」

「そうなるのを阻止するためならば、どんなことでもするでしょう。どんな手段でも用い、どんな脅威をも排除し、それを成し遂げるために絶えず創意工夫を重ねていく。しかも、間近に迫った脅威だけを考慮するわけではありません。途方もない演算能力と不死も同然の寿命を持っているのだから、はるか彼方《かなた》に存在する、はるか未来の危険でも察知し、たとえそれが何千年後の脅威であっても、阻止するための戦術を考案します。何よりもまずいのは、AGIが常に僕たちを見ていることです。人間が現在あるいは未来の脅威なのかどうかを判断しているのです。もし僕たちのことを危険だと見なしたら――」

「さっきおまえが言ったように、ゲームオーバーだ」

「でも、だからこそマラの作業がとても重要なんです。彼女が構築しようとしている友好的なAGIは、いつか誕生するかもしれない――正しくは、いつか必ず誕生する危険なAGIから僕たちを守ってくれる存在です。営利企業や政府が資金を提供する研究所のほかに、何百もの団体が秘密裏にこの事業に取り組んでいて、自分が一番乗りを果たそうと躍起になり、この世界に解き放ってしまいかねない危険なものへの懸念を無視しています」

「そんな事態が起きるまで、どこまで差し迫った段階にあるんだ？」

「かなり差し迫っていますね」ジェイソンは散らかった紙を指し示した。「つい最近のこと、グーグルのディープマインドは量子物理学の基礎原理を独力で発見しました。また、二個のＡＩ翻訳プログラムは解読不能な独自の言語で互いに話し始めるようになり、その会話の翻訳を拒否しました。ロボットが製造者よりも賢くなる事例は世界各地で発生していて、想像すらできないような方法で抜け穴を探るようになっています。人間並みの直感を持つプログラムも存在します」

「人間並みの直感だって？」

「数年前、グーグルのディープマインドが開発したプログラムＡｌｐｈａＧｏ《アルファ碁》が囲碁の世界最強棋士を破り、かなり大きなニュースになりました。ある計算によると、囲碁はチェスの何兆倍のさらに何兆倍以上も複雑だと言われています。コンピューターが囲碁で人間に勝つには、少なくともあと十年はかかると考えられていたくらいですから」

「大したものだな」

「そこで話は終わりません。この対戦に備えてＡｌｐｈａＧｏを訓練するために要した期間は数カ月でした。でも、その後グーグルは新しいやり方を採用し、最新バージョン――

AlphaGo Zero《アルファ碁ゼロ》には、自分自身との対局を繰り返すことで自ら学習するようにさせたのです。わずか三日間の訓練の後、Zero《ゼロ》はすっかり上達し、グーグルの以前のバージョンと百回対戦して全勝しました。どうやったかというと、何千年にも及ぶ囲碁の歴史の中で人間が誰一人として思いつかなかった手を、AlphaGo Zeroは直感的に考案したんです。まさに人類を超越してしまったわけなんですよ」

グレイは息をのんだ。胃の奥にぽっかりと隙間ができてしまったような気がする。

ジェイソンはなおも続けた。「だから、第一号のAGIを開発しようとしている僕たちは、今まさにその段階に来ているんです」ジェイソンが険しい眼差しをグレイに向けた。「着陸前に任務の流れを見直す方がいいかもしれません。僕たちが必要としているのは、マラのプログラムが間違った人間の手に渡るのを防ぐことだけじゃありません。人類が生き延びるために、プログラムそのものが必要なんです」

ジェイソンのiPad上で小さなウィンドウが開き、届いたメールが表示された。

二人は画面に目を向け、書かれている文章を読んだ。発信者はリサ・カミングズで、無駄な説明を省いた簡潔な内容だった。

キャットの容体悪化

このまま検査を進める

選択の余地なし

グレイの方を見るジェイソンの表情からは不安がうかがえる。

グレイはこの若きシグマの分析官がどれほどキャットのことを敬愛しているか知っている。「それも任務に含まれている」グレイはジェイソンに言い聞かせた。「この件とキャットの身に起きたことに何らかの関係があるのかを突き止めることも」

〈セイチャンおよび二人の女の子の誘拐との関係についても〉

グレイはセイチャンとまだ生まれぬ我が子への不安に押しつぶされまいとした。窓の外に目を向け、もっと速く飛んでくれとジェット機に念を送る。この任務が将来に及ぼす影響は別にして、もっと差し迫った必要性が、心を悩ませる問題が存在する。

胸を痛めているのはグレイだけではない。

グレイはプリンストンの病室の様子を想像した。

〈踏ん張ってくれよ、モンク〉

9

十二月二十五日　東部標準時午前九時十四分
ニュージャージー州プレインズボロ

モンクはプリンストン医療センターの地下フロアにあるＭＲＩ用のコントロールルームの内部を行き来していた。コンピューターの前には技師が一人座り、隣の部屋に設置されている巨大な磁石のリングの微調整を行なっている。そのほかに二人の技師が両隣の端末の前で作業をしていた。三人は難解な用語を使って小声で会話をしている。〈ゴースティングやブルーミングは見られないか？〉〈問題なさそうだ〉〈ＳＴＩＲとＦＬＡＩＲも準備よし〉

明るさをやや落とした中でスタッフがせわしなく動き回り、切迫感のあるつぶやき声が聞こえる空間にいるうちに、モンクはソナーやディスプレイの光が内部を照らす潜水艦の司令塔を連想した。しかし、ここを取り仕切っているのは将校ではなく、ハーヴァード卒の神経内科医のドクター・ジュリアン・グラントだ。彼は昏睡状態の患者や様々な段階の植物状態など、変性意識状態を専門にしている。

医師は青の手術着の上に膝丈の白衣を着用していた。髪は真っ白だが、年齢はまだ四十五歳ということなので、若くして白髪が進行しているのだろう。特別仕様のＭＲＩから発生する膨大な磁気エネルギーの副作用が原因なのかもしれない。

ドクター・グラントは有機発光ダイオードのモニターが並ぶ前で両手を後ろに組んで立っていた。神経内科医はキャットの脳のベースライン画像をじっと見ているところだ。リサもその隣に立ち、仕事仲間と頭を寄せて小声で話をしている。

室内を歩いて何度も往復するたびに、モンクの不安が高まる。片目はキャットのバイタルをモニターする機器から片時も離さない。妻はドクターヘリでワシントンＤＣからニュージャージー州プレインズボロまで移送された。移動には九十分というじりじりするような時間がかかった。機体が少しでも揺れるたびに、モンクの血圧は跳ね上がった。

キャットはヘリでの移動を無事に乗り切ったものの、着陸から間もなくして容体が不安定になった。軽度の発作で体を震わせ、頸椎カラーが外れるのではないかと思うほどもがいた。同行していた医師は発作を抑えるため点滴にバリウムを注入しようとしたが、リサはその提案に異議を唱えた。

〈バリウムは患者の意識レベルをさらに低下させる可能性がある〉リサは釘を刺した。〈彼

女との意思の疎通の見込みが厳しくなりかねない〉

リサはモンクの方を見て、判断を求めた。この試みを中止するという選択肢もあった。だが、モンクはリサのことを信用し、キャットも中止を望んでいないはずだと考え、決断を下した。

だから今、この部屋にいる。

グラントが技師たちのもとに向かう一方で、リサがモンクの方に近づいてきた。「始める準備ができたところ」リサはモンクを見ながら告げた。「あなたの方はどう？」

「こいつを早く終わらせてしまおう」モンクは神経内科医を顎でしゃくった。「さっきは二人で何を話していたんだ？」

リサはため息をついた。「ジュリアンはキャットの脳血流量を心配しているの。収縮期血圧が不規則なものだから」

機能的ＭＲＩの検査では、酸素を含む血液の脳への流入量を測定する。血圧の低下は結果に影響を及ぼしたり、検査そのものを失敗させたりしかねない。

リサはモンクを力づけようとした。「でも、隣の部屋のＭＲＩは最新かつ最も高度な装置の一つで、その解像度は十分の一ミリの大きさのものでも識別できるほど。病院に設置されている通常の装置と比べると十倍の性能がある」

〈だからわざわざニュージャージーまで来る必要があったわけだ〉

モンクはその時間と労力が無駄にならないことを祈った。

「だけど――」リサが言いかけた。

モンクは口調の変化に気づいた。「何だ？　教えてくれ」

「ベースラインスキャンから――ドクター・エドモンズがさっき送ってくれたものと比較すると、彼女の脳の挫傷部分が拡大しているの。ほんのわずかだけれど、大きくなっている。つまり、損傷部分の出血が再び始まったということ。飛行中の気圧の変化が原因かもしれないし、発作を起こしたせいかもしれない」

「容体が悪化しているという意味だな」

モンクは大きく息を吸い込み、そこで止めた。

〈俺がキャットを苦しめているのか？〉

リサがモンクの腕を握った。「これは彼女が望んでいることのはずでしょ？」

モンクはリサの言葉から安心を得ようとしたものの、うまくいかなかった。それでも、大きく息を吐き出して伝える。「なってしまったことは仕方がない」

二人はコンソールの方に向かった。曲線を描くように配置されたモニターの列の上には窓があり、その奥を見るとガウンを着たキャットがガントリーベッドに横たわっていて、その脇に看護師が一人立っている。モンクは自分が向こう側にいて、キャットの手を握ってやれればいいのにと思った。しかし、装置がかなり強力な磁場を発生させるため、作動中は一切の金属を近づけてはならない。モンクの義手や脳内に埋め込まれた微小電極アレイも、そうした金属に該当する。

「準備完了です」技師の一人が言った。

ドクター・グラントがうなずいた。「始めよう」

オペレーターがＭＲＩのスイッチを入れると、隣の部屋から巨大な磁石の立てる重厚な音が響いた。ドクター・グラントがのぞき込むモニターの画面いっぱいに、濃淡のある灰色で表示されたキャットの脳の画像が現れる。

神経内科医は振り返ることなく説明を始めた。「ここから先は重要な質問が三つある。患者は本当に意識があるのか？　こちらの話を聞くことができるのか？　機械が記録できる強さで反応を返せるのか？」

モンクは息をのみ、三つとも答えが「イエス」であることを祈った。

〈さもないと、俺はキャットを無用な危険にさらしてしまったことになる〉

グラントが技師の一人を指差した。「患者に我々の声が聞こえているか、確かめるとしよう」

技師はスティックタイプのマイクに口を近づけた。音は中空セラミックのヘッドホンに送られる。神経内科医が最小限の意識レベルの患者とも意思の疎通ができるよう、特別に設計されたヘッドホンで、ＭＲＩが発生させる騒音を遮断すると同時に、送られる指示の音量を増幅するようにできている。

「ブライアント大尉」技師がてきぱきと明確な口調で声をかけた。「本気でテニスの試合に臨んでいるところを想像してください。できるだけ強く、頭の中で思い浮かべてくださ い」

技師がグラントを一瞥した。ドクターが自分の目の前のモニターに顔を近づけると、キャットの脳の新たな断面図が表示される。モンクの目にはさっきまでと何も変わっていないように見える。

神経内科医は顔をしかめた。「あと一分間、続けてくれ」ドクターは手を伸ばし、指先で画面上のある箇所に円を描いた。「ここが彼女の運動前野で、脳が随意運動を計画したり、そのための指示を出したりする部位に当たる。腕を持ち上げたり足を前に踏み出したりする前に、脳は前頭葉のこの部分の働きを活発にする。動かすことを考えただけでもここが活性化し、新たな血液が流入するのだ」

リサが説明を補足した。「つまり、私たちの言うことが聞こえて、キャットがテニスをしていることを考えたら、この部分に反応があるというわけ」

「でも、反応がない」モンクは指摘した。

「もう少し時間を与えてみよう」グラントは技師に合図を送った。「もう一度、試してくれ」

同じ質問が繰り返された――特に変化のない結果が返ってきた。

「もう一度」神経内科医が指示した。

それでも、反応がない。

グラントの眉間のしわが深くなった。リサの顔に浮かぶ表情からも、同じ敗北感がうかがえる。

神経内科医はモニターから顔を話し、口元をぬぐった。「残念だが、これはおそらく――」

「俺にやらせてくれ」

モンクは技師を肩で押しのけ、マイクの前に座った。唇をマイクに近づける。キャットはこれまで一度もテニスなどしたことがない。けれども、ほかのことならばうまくいくかもしれない。彼女がもっと気にかけている何かならば。

「キャット、聞こえているなら――頼む、聞こえていてくれよ、ペネロペをお風呂に入れてやった後で毎晩のように追いかけ回していた時のことを思い出してほしい。君がタオルで体をふいてやろうとしても、あの子は言うことを聞かずに大声をあげながら、素っ裸で家の中を走っていたよな」

モンクは話し続けた。ＭＲＩの発する重低音が肋骨の間に響き渡る。

〈さあ、キャット。君ならできるはずだ〉

午前九時二十二分

暗闇の中で身動きできない状態のまま、キャットは泣きながら笑っていた。

濃霧に包まれてだらりと横たわり、意識が朦朧としていた時、頭の中のもやを切り裂いて明瞭な言葉が聞こえてきた。実体を持たない声に、知らない人物の指示に従おうと試みた。テニスのラケットを振ろうとしたし、おかしな方向に弾むボールを打ち返そうとしたものの、自分でも実感の湧かない動作に思えた。

その時、モンクの声が頭の中を満たした。響き渡る声はからかうような、頼み込むような、差し迫ったような、苦しんでいるような調子で、それなのにあふれんばかりの愛が感じられた。モンクの与えてくれた力があれば、言われたことができる。

〈しないわけにいかないじゃない〉

二人の娘をお風呂に入れることは、毎晩繰り返される水浸しの儀式も同然だった。モンクが浴槽の中でハリエットの相手をしている間、キャットがペネロペを追いかける。いらいらさせられたものの、あんなにうれしそうに笑う娘を叱ることなどできなかった。ペネロペがあとどのくらい、あのままでいてくれるのかはわからない。けれども、キャットはそんな日々が終わってほしくなかったし、成長した娘があんなにも明るく陽気な気持ちを失ってほしくもなかった。

キャットは毎晩の競走を思い浮かべた。廊下に点々と連なる湿った足跡、ペネロペが濡れた髪を振り乱しながら走る様子、どこまでも続く笑い声。そんな娘を半分ふざけて、半分本気で追いかける。有能なシグマの隊員が、ガゼルのように駆けるびしょ濡れの娘を懸命に捕まえようとする。

〈覚えている……決して忘れない〉

午前九時二十三分

モンクが顔を上げると、ＭＲＩの部屋にいた看護師が壁に取り付けられたインターコムに向かって急ぎ足で近づいてくるところだった。モンクの心臓が締め付けられる。最悪の事態を覚悟する。

「ドクター・グラント」看護師が伝えた。「意味があるのかどうか、わからないのですが、患者が泣いているみたいです」

〈キャット……〉

「大いに意味がある」そう言うと、神経内科医は画面を指差した。

画面に表示された最新の画像を見ると、灰色をした前頭葉の一部に炎を思わせる深紅の筋が走っている。期待と希望を示す明るい花火のようだ。

「あなたの言葉が聞こえているのよ」リサがモンクの腕を強く握った。「彼女はちゃんとあそこにいる」

モンクは何度か深呼吸を繰り返さずにはいられなかった。安堵感が一気にあふれ出る一方で、彼女を失いたくないと思う。「それで、次は?」

グラントが大きな笑みを浮かべた。「彼女に質問する。答えが『イエス』の時には娘さんをお風呂に入れる時のことを考えてもらう。『ノー』の時には何も考えないようにする」

「『ノー』の時の反応は彼女にとって難しいと思うぞ」モンクは指摘した。

キャットが考えたり、計画を立てたり、作戦を練ったりするのをやめる時などあっただろうか?

さっそくこの任務に取りかかることになり、まずはキャットに対して、心を落ち着かせ、これからの作業に備えてまっさらな気持ちになるように促した。それからモンクが質問を投げかけ、ドクター・グラントがモニターで反応を見守った。

モンクからの最初の問いかけは何よりも重要な内容だった。「キャット、俺は君を愛している。そのことはわかってくれているよな?」

少し間があった後、グラントが知らせた。「どうやらわかっているみたいだ」

どれだけの時間があるのかわからないので、モンクはいきなり問題の核心を突くことにした。「キャット、娘たちとセイチャンが行方不明なんだ。そのことは知っていたか？」

キャット：〈イエス〉

モンクは隣の部屋の方を見た。身動き一つしないキャットの体には、管やワイヤーがつながれたままだ。モンクはあの中で囚われの身になっているキャットが、自分の方をじっと見つめている姿を想像した。

「三人を発見するために役立ちそうなことを何か知っているかい？」

モンクは固唾をのんだ。さっきよりも反応が返ってくるまでに時間がかかる。

キャット：〈イエス〉

モンクはほっとため息を漏らすとともに、時間があまり残されていないことを意識しながら、次に何を訊ねればいいのか必死に考えた。「家を襲撃したのが誰だかわかるか？誰が三人を連れ去ったんだ？」

脳のスキャン結果には変化がない。

つまり、答えは「ノー」だ。

モンクは落胆して肩を落としたが、グラントが指を一本立て、焦らないようにと促した。

画像が最新の状態になると、画面上に明るい輝きが現れた。

〈イエスだ！〉

モンクはマイクに口を近づけた。「すごいぞ、キャット。その調子だ。犯人、または犯人グループは俺も知っている相手か？」

またしても、反応が返ってくるまでの時間の長さに心を乱される。モンクはキャットが刻一刻と深くなっていく記憶の泉を探っているのだろうと想像した。

ようやく返事があった。〈イエス〉

モンクは額の汗をぬぐいながら不安を覚えた。この尋問手法のまどろっこしさにいらだちが募る。モンクの心配は的中した。

技師の一人がドクター・グラントに体を寄せ、自身のモニターに映る矢状《しじょう》面画像を見てほしいと依頼した。神経内科医は何事がつぶやき、立ち上がった。

「どうかしたのか？」モンクは問いただした。

「脳幹部の挫傷がまた広がっている」グラントは技師のモニターに映る濃い色の影を指差した。「今回はかなり大きい。出血を抑える必要がある」

「どうすればいいんだ？」

「彼女を上のフロアに連れていく。外科医と相談しないと」

モンクは隣の部屋に視線を向けた。娘たちを発見する可能性が少しでもあるなら、キャットが知っていることをこっちも知る必要がある。「ほかに何か手はないのか？　時間を稼ぐための応急の包帯みたいなものは？」

グラントは苦渋の表情で隣の部屋を見た。「降圧剤のニトロプルシドを試すことは可能だ。収縮期血圧を百四十以下に下げさせる。しかし、それよりも低くするのは避けなければならない」眉間にしわが寄る。「それでも、せいぜい数分がいいところだ。出血が続いた場合、大きな発作につながるおそれがある」

モンクは生気のないキャットの体を見つめた。「彼女は俺たちがそのリスクを冒すように希望している。俺にはわかる」

神経内科医はモンクに険しい視線を向けた。「君も本当にそのリスクを冒す覚悟ができているんだな？」

できていなかったが、それでもモンクはうなずいた。

方針が決定すると、グラントは看護師に指示を与えた。

容体を安定させるための治療が始まると、リサが神経内科医に歩み寄り、その腕をつかんだ。「ジュリアン、あなたがさっき気が進まないと話していたことはわかっているけれど、あまり時間が残されていないし、それに一枚の絵は千文字分の価値があるのよ」

グラントはモンクの方に目を向けてから、リサに視線を戻した。声を落として話し始める。「DNNはまだ実験段階なんだぞ。君もそのことは承知のはずだ。解決しなければならない問題がたくさん残っている」

「何の話をしているんだ？」モンクは訊ねた。

リサがモンクの方を向いた。「そもそもキャットをここに連れてきたいと考えた理由がそれなの。ジュリアンは患者の脳から画像を取り出す手法の検証を行なっているのよ」

「何だって？　読心術みたいなことなのか？」モンクは信じられない思いで質問した。

「心を読むのではなく、スキミングすると言う方が適切だ」神経内科医は説明した。「しかも、それは私が考えたのではなく、日本の国際電気通信基礎技術研究所によって開発された手法だ」

「発案者が誰だろうとどうでもいい。いったい何の話なんだ？」

「日本のチームはＤＮＮ――深層《ディープ》ニューラルネットワーク・コンピューターを使って、被験者たちの何十万枚ものＭＲＩ画像を解析させた。その被験者たちがしていたのは、ただひたすら何枚もの写真を見つめることだ。ＤＮＮのプログラムは脳のどの部分が活性化しているかを見極め、それを何度も繰り返しながら視覚処理の中心となる部分の地図を作成して、共通するパターンを見出した。やがてＭＲＩ画像から被験者が何を見ているのかを予測できるようになり、八割以上の確率でほぼ正確に再現できるようになった」

リサが部屋の片隅にある電源の入ったタワー型サーバーと、その隣にある真っ暗なモニターのところに近づいた。「ジュリアンはその研究プロジェクトに参加し、昏睡状態の患者が見ているかもしれないものを視覚化するための手段として、臨床的な検証を行なっていたの」

「もう一度、はっきりと伝えておくが」ドクター・グラントが補足した。「確実な技術にはほど遠い」

モンクはキャットの方を見ながら、彼女の頭の中に閉じ込められている情報のことを思った。その知識を解放できる可能性がわずかでもあるのならば、今のうちに……できるうちに……

モンクは室内を振り返り、神経内科医をにらみつけた。「やってくれ」

午前九時三十八分

キャットは再び暗闇の中で目覚めた。どれだけの時間が経過したのかはわからない。記憶にはいくつもの穴が開いていて、意識は虫に食われてほつれているような状態だ。頭蓋骨の奥深くで頭痛がする。これまでに経験したどんな偏頭痛よりもひどい痛みだ。

それが何の予兆なのか、キャットにはわかっていた。

〈容体が悪化しているに違いない〉

不安が痛みをさらに押し上げる。

キャットは落ち着きを取り戻そうと努め、セイチャンから教わった瞑想《めいそう》テクニックを使った。二人でロッククリーク・パークまで出かけ、太極拳をしたことがあった。一連の動作はもともと護身術として生まれたものの、今ではそのゆったりとした動作を通じて精神と肉体を安定させる役割を担っていて、体を動かしながら行なう瞑想の一形態になっている。

頭の中でそうした動作をする自分のことを思い描くうちに、キャットは瞑想の世界に入っていくのを感じた。

ふと気づくと、モンクがいた。耳のすぐ近くに。頭の中に。「ハニー、俺たちにはあまり時間がないいんだ」

必死に訴えかけるその口調から、キャットは夫の言わんとすることを理解した。

〈間違いなく、容体が悪化している〉

不安が確信に変わったことでパニックに陥ってもおかしくなかったものの、キャットは冷静を保った。

「いいかい、君を襲ったやつのことを思い浮かべてくれ。娘たちとセイチャンを連れ去ったやつのことを。意識を集中させて、細かいところまで頭に描いてほしいんだ」

襲撃者のことを思い出し、心の平穏がもろくも砕け散った。苦痛が体中を駆け巡り、視界の端に広がる暗がりが濃くなり、底なしの黒さに変わっていく。

キャットは胸の内の怒りを利用して集中力を高めつつ、あることを確信した。

娘たちのことを思う。

〈残り時間がなくなりつつあるのは私だけじゃない〉

午前九時四十分

「血圧が高くなっています」隣の部屋にいる看護師が警告した。

今にも飛び出しそうなほどの大きな音で心臓が鳴っているのを意識しながら、モンクはマイクに顔を近づけた。リサとドクター・グラントの様子をうかがう。二人はタワー型サーバーと接続されたモニターの前にいる。モンクはサーバーの緑色に輝く光を見ながら、ＤＮＮのプログラムがキャットのＭＲＩ画像を解析しているところを想像した。

「何か反応は？」モンクは訊ねた。

リサが顔をしかめたまま向き直った。画面に表示されているのは画素がノイズのようにちらつく動きだけだ。

神経内科医の顔には汗が浮かんでいる。「うまくいきそうにない」

モンクは脅すような口調で反応した。「そんなのは許さない」

「君は理解していない。このプログラムは……」グラントは光を発するタワー型サーバーを指し示した。「未完成なんだ。とてもじゃないが、写真のようなレベルでは表現できない。少なくとも、まだ無理だ。今の段階では被験者の心からごく単純な形を抜き出すくらいのことしかできない」

リサがモンクの方に近づいてきた。「あなたがキャットに思い浮かべるように頼んでいることは、複雑すぎるし細かすぎる。代わりに、伝えようとしている内容を記号か何かで表現するように頼んでみたらどう？　一目でわかるような単純な何かで」

「絵文字とかは？」技師の一人が意見を述べた。まだ二十歳そこそこのような顔つきをしている。

だが、モンクは意図を理解し、再びマイクに語りかけた。「キャット、顔を思い浮かべようとするのはやめよう。俺たちを正しい方向に導いてくれる簡単な記号みたいなものを考えてくれ」技師の方をちらっと見る。「絵文字みたいな感じで」

若い技師がモンクに向かって親指を立てた。

モンクが椅子の背もたれに寄りかかると、リサもグラントのところに戻った。

神経内科医がびくっと体を震わせた。「何かが見えてきた」

ちらついているだけだった画素がまとまり始め、画面の中央である形を作った。

モンクはもっとよく見ようとキャスター付きの椅子を滑らせ、モニターに近づいた。だが、大して変化はなかった。「何かをこすりつけたみたいだな。ブレーキ痕とか」

「もっと集中するよう彼女に伝えてくれ」グラントが促した。

モンクはコンソールのところまで戻り、マイクに顔を近づけた。「ベイビー、すごくいいぞ。だけど、もっともっと集中してもらう必要がある。君ならできるはずだ」

モンクはモニターから視線を外さなかった。リサも少し脇に移動し、モンクの位置からモニターがよく見えるようにしてくれている。

画素がより濃密にまとまり、細かい部分まで表示される。

グラントが興奮した様子で何度もうなずいた。「驚いた、これほど詳細な画像を見るのは初めてだ。プログラムが学習しながら修正しているに違いない」

リサが笑みを浮かべた。「それとも、患者の方がそうなのかも」

モンクも同意見だった。集中力の高さに関して、キャットの右に出る人間はいない。画像がより細部まで鮮明になり、十分に認識できるようになった。

午前九時四十五分

キャットは心の目に映る画像を安定させようと必死だった。頭痛がひどいのでかなり難しい作業だ。今では焼けるような痛みが頭蓋骨のすべての隙間を押し広げようとしている。まるで何時間もずっと、意識を集中させ続けているかのように感じる。

心の奥では、襲撃チームのリーダーのことも思い浮かべていた。キッチンで覆いかぶさるようにのぞき込んだ時、その手には短剣が握られていた。それはキャットが知っている武器。あまり見かけない特殊な武器だから、その持ち主も特定できる。

〈頑張って、モンク……〉

その時、夫の声が再び聞こえた。「キャット、君はナイフか短剣を見せようとしているんだな。わかったぞ。よくやった」

一気に力が抜けていく。

〈よかった……〉

モンクや医師たちがどうやってこの奇跡を実現させたのか――頭の中にあるものをのぞき見ることができたのか、キャットにはさっぱりわからなかったが、成功してくれたことには感謝の気持ちしかなかった。

〈あとはモンク、あなたが解明して〉

午前九時四十七分

モンクは画面上の画像が崩れ、意味のない画素のちらつきに戻っていくのを見守った。受け取ったメッセージが正しかったと認めているかのようだ。

リサがモンクの顔を見た。「あの絵に何らかの意味があると思う？　彼女は襲撃者があなたの知っている人間だと言っていたけれど」

モンクは首を横に振った。「見当もつかない」

「もしかしたら、いくつかある絵文字のうちの一つ目なのかも」若い技師が言った。

モンクは肩をすくめ、もう一度試みた。「キャット、君が何を教えようとしているのか、つかめないいんだ。もう少しわかりやすくできないか？　別の画像を送ってくれ。絞り込むことができるような何かを」

全員がまとまりのない画素の広がりを一心に見つめた。

〈君ならできる、キャット〉

再びゆっくりと画像が形成され始めた。まだぼんやりしていて、はっきりとは識別できない。上から降り注ぐ砂が床の上にたまっているような感じだ。

「そのまま集中し続けてくれ」モンクは頼んだ。「何かが見えているが、まだちゃんと理解できない」

看護師が腕を振って合図を送った。彼女が指差すキャットの片脚は震え始めている。

「また発作を起こしている」グラントが言った。「もう終わりにしないと」

〈だめだ……ここまで来てやめるわけにはいかない〉

モンクはスティックタイプのマイクを口元に引き寄せた。「キャット、もう時間切れだ。今までにないくらい、意識を集中させてくれ。ありったけの力を振り絞るんだ」

患者の容体が悪化しているにもかかわらず、コントロールルームにいる全員が画面に注目した。画素が集まってより鮮明な画像を生み出していく。さっきのように細部まで表現されたものではなく、クレヨンで描いたような画像だが、それで十分だった。

「魔女の帽子だ」モンクは気づいた。
画像がすっと崩れ、意味のないちらつきに戻る。
しかし、今回は正解だと認めたからではない。

隣の部屋ではガントリーベッド上のキャットが背中をそらし、その体は弓なりになっている。激しい発作が脳幹の損傷部分にも刺激を与え、麻痺《まひ》状態の体にこれほどまでの反応を引き起こしているのだ。

キャットの両手がぶるぶると震え、点滴の管が外れてしまう。

看護師がキャットの体に覆いかぶさった。「危険な状態です！」

グラントが看護師に手を貸そうとコントロールルームから飛び出したが、モンクは背筋を伸ばしたままそこに立ち尽くしていた。頬を幾筋もの涙が流れ落ちる。

〈ゆっくり休んでくれ、ベイビー。君はやってくれたよ〉

モンクの頭に短剣と魔女の帽子がよみがえる。

〈娘たちを連れ去った犯人がわかった〉

10

十二月二十五日　東部標準時午前九時四十八分
場所　不明

「静かにして。大丈夫だからね」セイチャンは女の子たちに言い聞かせた。

大丈夫なわけはなかったが、子供たちがそのことを知る必要はない。小さな簡易ベッドに腰掛けたセイチャンは、年下の女の子の鼻の下に付いた二本の筋をそっとぬぐってやっているところだ。五歳のハリエットはついさっき、地下室の薄暗い片隅にあるスチール製のトイレに、食べたばかりのオートミールを戻してしまった。姉のペネロペは妹の反対側に座り、セイチャンの体にもたれかかっている。二歳年上のペニーも、いつ妹と同じ行動を起こしてもおかしくない状態だ。

薬で眠らされていた二人が目を覚ました時、セイチャンはすぐそばにいた。見慣れない環境にいる二人を何とか慰め、安心させようとした。けれども、セイチャンは二人の母親ではない。

今もハリエットは室内にあるもう一つのベッドをぼんやりと見つめている。使用された形跡のないそのベッドが誰のために用意されたものなのか、わかっているかのようだ。

〈キャット〉

鳶色の髪をした女の子は目が覚めてから一言もしゃべっていない。質問もしなければ、涙も流さない。ただすべてを受け入れ、母親と同じく状況の分析に取りかかっているかのようだ。ハリエットが着ているのは緑色のつなぎタイプのパジャマで、幅広の黒いベルトを模した刺繍《ししゅう》が入っている。先のとがった妖精の帽子もセットになっていたのだが、姉よりもどこか大人びているハリエットは家にいる時その帽子をかぶろうとせず、こんな子供だましは大嫌いだとでも言わんばかりに床に放置していた。

シナモンとリンゴの砂糖漬けが入った温かいオートミールという朝食が出た時も、ハリエットはただ食べただけだった。一方、姉のペニーはうれしそうに頬張っていた。目を覚まして以来、ペニーはセイチャンを質問攻めにして、しゃべり通しだった。〈ママはどこ?〉〈ここはどこ?〉〈どうしてトイレにドアがないの?〉〈この部屋、くさい〉〈あのね、アリクイが好きなの〉最後の発言はコンクリートの床の上を横切って排水溝に続いているアリの行列を見たからだろう。セイチャンはそれがペニーなりのストレス発散法で、この奇妙な状況に対する恐怖への彼女なりの対処法なのだろうと察した。

「いつになったらここから出られるの？」ペニーが質問した。「おしっこに行きたい」

「あそこのトイレを使えばいいでしょ」

ペニーはびっくりしたような表情を浮かべ、首を横に振った。赤みがかったブロンドのお下げを不快そうに揺さぶっている。「ハリエットがあそこに吐いたもん」

「ちゃんときれいにしたから」

ペニーはまだもじもじしていて、目線を合わせようとしない。

セイチャンはペニーがトイレに行きたがらない本当の理由に気づいた。「じゃあ、私が最初に行ったら、あなたも行く？　別に恥ずかしがるようなことじゃないから」

ペニーは肩をすくめ、どっちつかずの答えを返した。

セイチャンはため息をつき、立ち上がった。片手で腹部を抱えて立つと、部屋がかすかに回っているように感じる。鎮静剤の影響がまだ残っているようだ。おなかの中の赤ん坊が動き、膀胱《ぼうこう》にさらなる圧迫感を与える。けれども、セイチャンはそのことが嫌ではなかった。子供がおなかの中でまだ元気でいて、襲撃の影響を受けていないらしいと安心できたからだ。

セイチャンはトイレに急いだ。自分も行きたいと思っていたし、ここ以外に選択肢があるわけでもない。伸縮性があるゴムバンドをありがたく思いながら、マタニティパンツを少し下げる。丈の長いブラウスを目隠し代わりに使用して、セイチャンは腰を下ろし、用を足した。

用をすませてから立ち上がり、水を流そうとしたところで、便器に血が付着していることに気づく。それほど多くないものの、心臓の鼓動を大きくさせるのに十分な量だ。だが、セイチャンは平静を保ち、ペニーの方に向き直った。

「ほらね。何も心配いらないでしょ」

けれども、セイチャンにはそうではないとわかっていた。自分にとっては、特に赤ん坊にとっては。セイチャンはどこかぎこちない動きでベッドに戻った。

何も心配はいらないと納得したらしく、ペニーはセイチャンと入れ替わりで急いでトイレに向かった。その間もずっとしゃべり続けている。「カメは甲羅の中にうんちをするの？」「どうしてネコはワンワンと吠《ほ》えないの？」「学校にボビーっていう男の子がいるんだけど、そいつは馬鹿でおならプー野郎なの」

セイチャンはペニーの言っていることがほとんど耳に入らなかった。

だが、ハリエットはしっかり聞いていたようで、姉に向かってとがめるような表情を見せた。

ペニーは妹の意図を理解したらしく、用をすませてパジャマを引き上げながら小声で言った。「ママからは『おならプー野郎』って言葉を使っちゃいけないって言われているの。でも、パパはいつも使っている。『おならプー野郎』って言うし、自分でもおならをプープーしているの」

ペニーは自分の話にくすくす笑いながら、ベッドに腰掛けるセイチャンと妹のところまで急いで戻ってきた。

ハリエットは姉の話を面白がっていなかった。むしろ顔つきが曇っていく。ハリエットは不意にセイチャンから体を離し、顔を見上げた。しばらく間があってから質問を投げかける。「私たちが悪いことをしたからなの?」ハリエットがまともに話しかけてきたのはこれが初めてだ。「サンタさんが……プレゼントをくれる代わりに、私たちをここに連れてきたの?」

幼い女の子の罪悪感と不安を耳にして、セイチャンは我に返った。この子は自分たちの置かれた状況に対する説明を探していて、姉が禁じられている言葉をこっそり使ったことから、そうした行為が理由なのかもしれないと思ったようだ。

「ハリエット……違うのよ。もちろん、そんなはずはないから」セイチャンは小さな体に手を回し、自分の方に引き寄せると、ペニーのことも同じように抱き寄せた。「これはあなたたちのせいじゃないの」

扉の方から声が聞こえた。小窓が開き、誰かが中を確認したかと思うと、扉の鍵が解除される。

今回の件は扉を開けて中に入ってきた人物のせいだ。

襟に毛皮をあしらったシルバーのコートを着るヴァーリヤ・ミハイロフは、歩きながら体を揺すり、コートに付着した細かい雪を振り落とした。ジェルでなでつけてある真っ白な髪は、最後に見た時よりもかなり短い。生え際は氷のように白い眉の間で鋭角のV字型を形成している。カッラーラ大理石を思わせる白い肌にも、細かい真っ白な雪が付いていた。戸口から明るい光が差し込んでいるものの、顔の右半分にはうっすらと影が浮かび上がっている。

セイチャンはメイクの下に隠れている黒いタトゥーを頭に思い描いた。太陽を半分にした模様で、先端部分が直角に曲がった光線は頬から目の上にまで伸びている。今は亡き彼女の双子の弟の左の頬には、その黒い太陽の残りの半分が刻まれていた。

ヴァーリヤが弟の死を誰のせいだと考えているのか、セイチャンにはわかっていた。

ヴァーリヤの青白い手は腰の鞘に納められた短剣の黒い柄に添えられていた。セイチャンはその古いナイフにまつわる話を聞いたことがあった。シベリアの村で「バブカ」と呼ばれる呪術師を務めていた祖母から受け継いだものらしい。「アサメイ」と呼ばれるその短剣は、魔術的な儀式で使用されていたという。

ヴァーリヤは室内に入ると、セイチャンのことをにらみつけた。その敵意が及ぶ範囲は弟の死だけにとどまらない。セイチャンとヴァーリヤはかつてともにギルドの暗殺者で、殺しを生業とする姉妹のような存在だった。セイチャンがシグマに協力してギルドを壊滅させた後、ヴァーリャは憎しみと復讐の念を抱きながら生き延びた。組織の消滅後に生じた権力の隙間に乗じて、ヴァーリャは新たな同志を結集し、自らの冷酷な指導のもとで徐々に組織を再建してきた。

ペニーがセイチャンに体を寄せた。「あの人、雪の女王なの？」

セイチャンはそんな質問が出てきた理由を容易に推測できた。昨夜、キャットが二人にハンス・クリスチャン・アンデルセンの童話『雪の女王』を読み聞かせていた。氷のような冷たい心を持つ女王が少年を奪い去る物語だ。雪のように白いヴァーリャの顔つきが、その物語の悪役のイメージと一致したに違いない。ヴァーリャはアルビニズム――先天性色素欠乏症だ。ただし、アルビノの瞳は赤いと思われがちだが、彼女の瞳はそんな固定観念を嘲笑うかのように、透き通った青色をしている。

ヴァーリャが雪の女王にふさわしいことは言うまでもない。

そう思いながらも、セイチャンはペニーの手をぽんと叩いて安心させた。「ううん、そうじゃないの」

ただし、真実を伝えることは控えた。

〈この女はもっと悪い……はるかに邪悪な存在〉

ヴァーリャは大股で部屋に入ってきた。左右に大柄な二人の見張りを従えていて、一人は電気ショック用の牛追い棒、もう一人は麻酔銃を手にしている。ヴァーリャは見張りにロシア語で命令した。「さっさと片付けるからね」

セイチャンに対しては英語に切り替えたが、強いロシア語訛りは残っている。「今朝は予定より遅れていてね」

セイチャンは立ち上がって魔女と対峙し、女の子たちにはその場から動かないように合図した。「何が望みなの？」続いて使用されていないベッドを一瞥する。「あと、キャットは……ブライアント大尉はどこ？」

「最後に確認した時点では、まだ生きていた」

セイチャンは安堵のあまり座り込みそうになったものの、相手には気づかれまいとした。

「あんなにも執拗《しつよう》な抵抗をしなければ」ヴァーリャは顔をしかめながら説明を続けた。「あの女もここにいたはずなのに。誰も傷つけるつもりはなかったんだけどね。だから彼女を置き去りにしてきた。コマトシェの患者の世話をするような設備はないし」

セイチャンは頭の中でロシア語を翻訳した。不安がよみがえってくる。

〈コマトシェ……昏睡状態〉

「病院にも行ってきた」ヴァーリャが続けた。「すぐには話ができそうにない容体なのを確認するために。夫にも氷のかけらを渡してやったし」

〈モンク……〉

「ずいぶんと感謝されたよ」

セイチャンは拳を握り締めた。キャットが寝かされたベッド脇にいるモンクの姿を思い浮かべる。そのすぐ隣に妻を病院送りにした女が立っていたのだ。暗殺者としての技量と並んで、ヴァーリャが最も得意とする才能は変装と模倣だった。もうかなり昔のこと、この女は色白の肌をまっさらな紙として使用する術を習得し、そのキャンバスに思うがままの顔を描けるようになった。

それでも今の情報から、セイチャンは自分たちがまだアメリカ国内にいて、おそらく北東部のどこかなのだろうと当たりをつけることができた。けれども、それは最も重要な疑問の答えではない。

「もう一度聞く。いったい何が望みだ?」セイチャンは問いただした。

ヴァーリャは肩をすくめた。「シグマの助けが必要でね」

「そうだとしたら、ずいぶんとまた不思議な依頼方法だこと」

「いいや、協力《ニエット》する気を引き出すためにしたまでだ」

セイチャンは女の子たちの方を振り返った。

「四日前、ポルトガルで襲撃事件が発生した」ヴァーリャが説明を始めた。「一風変わったAIのプロジェクトが絡んでいる。何者かがその技術を確保しようと強硬手段に打って出た。アメリカ人のポルトガル大使を殺害したほどだ。そのことが我々の目に留まった。それほどまでのことをするからには、真の価値を持つ何かが存在していなければおかしい」

かつてのギルドは最新技術を手に入れようと世界各地に目を向けていた。入手後は自分たちのテロ活動の資金とするために最高額を提示した相手に売りつけるか、あるいは自らの歪んだ目的のために利用するかしていた。たいていの場合、後者の方がはるかに面倒な事態を招いた。

ヴァーリャが同じやり方を採用しているのは間違いない。

「今、その技術は所在がわからなくなっている」

「そして、あんたはそれを欲しがっている」

「ああ。だが、私だけではない。ピアース隊長《ダー》もすでにポルトガルに向かっている」

ヴァーリャは腕時計を確認した。「あと二時間もしないうちに着陸するはずだ」

〈二時間？〉

セイチャンは驚きが表情に出るのを止められなかった。グレイとクロウ司令官は自分と女の子たちの捜索のためにあらゆる手を尽くしていると思っていたのだが。

〈なぜグレイがこの任務に就いているのか？〉

ヴァーリャがその疑問に答えた。「シグマはポルトガルでの殺戮《さつりく》と我々の襲撃には関連があると信じている。その判断は正しいが、根拠が間違っている」

「いったい何の話だ？」

「ポルトガルでの襲撃の最中に不思議な出来事が起きた」それに続いて、ヴァーリャは襲撃の瞬間をとらえた映像が発見されたこと、およびコンピューターの画面にシグマの記号が現れたことを説明した。「録画映像が発見されるまでに、私はすでに工作員たちを現地に送り込み、何が起きたのかを調べさせていた。その映像を最初に目にしたうちの一人がその工作員で、それもシグマに映像が届くよりも前のことだった。そうした奇妙な出来事はクロウ司令官の目に留まるはずだと判断した。だから、彼が何らかの行動を起こすよりも先に――」

「私たちを拉致した」

「先見の明があった自分をほめてやりたい気分だ。今から七時間前のこと、ポルトガルで活動中の工作員たちからの連絡が途絶えた」ヴァーリャの眉間にしわが寄る。状況の変化を快く思っていないのは明らかだ。「彼らは大学の襲撃を画策した可能性があるグループについての手がかりをつかんでいた。ローブ姿に身を包んだ狂信的な一派だ。だが、彼らがその角度からの調査を開始しようとした矢先、それとは別の謎の一団に遭遇した。今回の件でのまったく新しい、未知の関係者だ。工作員たちはその新たな一団に関して調べを始めた――そのまま消息が途絶えた。私の推測では、ほかにもあの技術を手に入れようとしているやつらがいる」

「つまり、あんたには現地に送り込む人手がもっと必要になった」

ヴァーリャは肩をすくめた。「私の組織はまだ成長途上にあり、人的資源でも物的資源でもシグマとは比べものにならないほど少ない」その視線が二人の女の子をとらえる。「しかし、うまく動機を与えてやれば、我々のために動くようシグマを説き伏せることができるかもしれない」

セイチャンは理解した。ヴァーリャは自らの目的に合わせてシグマに協力させようと目論んでいるのだ。

「シグマが同意するなどありえない」セイチャンは言った。

ヴァーリャはまたしても肩をすくめた。「さあ、どうだか。私たちの望みは装置と、そのAIプログラムのコピーだけ。シグマがそれらを引き渡してくれれば、みんなは今まで通り幸せな生活を送れるということ」

「さもなければ、私たち全員を殺すというわけね」

「表向きはそういうことだ」

「表向き？」

「シグマが期待を裏切った場合、二人の女の子は私が育てる。おまえや私が受けたのと同じような訓練を施して、人間兵器に仕立ててやるのさ」

セイチャンは両脚からすっと血の気が引いていくように感じた。ギルドは工作員の育成に、残酷で人間性をぎりぎりまで排除したやり方を採用していた。そうした方法そのものが拷問も同然なだけではない。女の子たちが生き延びたとしても、人間としての心は完全に失われてしまう。

「おまえの子供についても」ヴァーリャの話は続いている。「一カ月くらいは待てるからな」

セイチャンは腹部に手のひらを当てた。

「心配するな。男の子だろうと女の子だろうと、私が自分の子供として育ててやる。両親のDNAを考えると、何とも素晴らしい結果が期待できるはずだ。それと出産後には、おまえの死体をピアース隊長に送り届けるよう手配しておくよ。箱詰めしてリボンをかけ、私からのちょっと遅めのクリスマスプレゼントとして」

「それでも、シグマは絶対に同意しない」

「今はまだそうだろう。まずはちょっとばかり突っついてやる必要がある」ヴァーリャは背後に立つ見張りのうちの長身の男の方を見た。「下の子を連れていくぞ」

セイチャンはそれを阻止しようと身構えた。

もう一人の見張りがセイチャンに歩み寄りながら牛追い棒を突き出した。その先端では音を立てて火花が散っている。相手の動きを封じて武器を奪い取る方法は七つ。セイチャンがそう判断した途端、おなかの中の赤ん坊が腎臓のあたりを蹴飛ばした。

セイチャンはうめき声をあげ、床に片膝を突いた。

便器に付着した血が頭をよぎる。

ヴァーリャは長身の見張りから麻酔銃を奪い取り、銃口をセイチャンに向けた。「おまえの子供があとどれだけの鎮静剤に耐えられるのかは知らない。試すのは一向にかまわないけどな。おまえはどうだ?」

床に片膝を突いたまま、セイチャンはヴァーリャをにらみつけた。今の体調ではこれから起ころうとしていることを止められない。ハリエットが大柄な見張りに抱え上げられるのを、セイチャンはただ見ていることしかできなかった。ペニーは泣きじゃくりながら妹をつかもうとしたが、ベッドに突き飛ばされた。

見張りの腕に抱えられて部屋を出ていく間も、五歳のハリエットは表情をほとんど変えない。避けられない運命を受け入れるその姿に、セイチャンは昔の自分を思い出した。それでも、女の子はセイチャンの方を見つめ返した。無言でさっきの質問を繰り返しているかのように。〈私が悪いことをしたからなの?〉

男たちの後を追ってヴァーリャが部屋から出ていくのを見ながら、セイチャンは胸が張り裂けるような思いだった。ヴァーリャの後ろ姿に向かって言葉を浴びせる。「その子に危害を与えたりしたら、絶対に――」

最後まで言い切らないうちに、ヴァーリャが扉を後ろ手に閉めたため、このわずかな抵抗も途中で遮られてしまった。セイチャンはすぐにベッドまで戻り、ペニーを慰めた。女の子は涙に濡れた顔をセイチャンの腹部にうずめ、泣き声をあげた。

「大丈夫だから」セイチャンは言い聞かせた。「ハリエットは大丈夫だから」

言葉通りであることを祈るしかない。

おなかの中の赤ん坊が再び蹴った。セイチャンは顔をしかめながら、この暴れん坊に命を与えた父親に対して悪態をついた。その一方で、子供の父親のことを、彼がこれから飛び込んでいくことになるとんでもない事態を案じる。どうやら誰もがその技術を狙っているらしい。だが、どうしてそれがそんなにも重要なのか？

セイチャンは再び鍵のかかった扉を見つめ、その謎の解明はグレイに任せることにした。こちらで対応しなければならない問題があるし、今は体が言うことを聞いてくれない状態なのも十分に認識している。力ずくでここから脱出するのは無理だし、二人の幼い女の子が一緒だということを考慮すると、新しい戦術が必要だ。

そこには難問が立ちはだかっている。

セイチャンはペニーの指をぎゅっと握った。

〈どうやったら雪の女王の裏をかくことができるか？〉

11

十二月二十五日　西ヨーロッパ時間午後二時四十二分
ポルトガル　リスボン

「イヴは何をしているの？」カーリーが質問した。

マラはラップトップ・コンピューターの画面の片側をスクロールしている診断プログラムの情報から注意を移した。音楽のサブルーチンの分析結果を確認していたところだ。モジュールの落とし込みはほぼ完了しているが、バグや不具合をスキャンしておきたかったのだ。以前の作業の経験から、ここがイヴの成長において重要な段階に当たることを知っている。ここまでマラが慎重に育ててきたことで、プログラムの意識は本当の意味での成長ができるだけの豊かさにまで達しているはずだ。しかし、同時に不安定な存在にもなっている。プログラムは細いロープの上に立ってバランスを保っているような状態で、深い精神性の生育が可能な奇跡と、計り知れない悪意を備えた自己中心的な原動力の狭間《はざま》で揺れ動いている。

「どうして彼女はあそこでうずくまっているだけなの？」カーリーが重ねて訊ねた。

イヴの不可解な姿勢を見て、マラも同じように小首をかしげた。イヴは渦を巻く大量の音符として視覚化されたサブルーチンのデータの残りを吸収しておらず、停止しているように見える。片膝を突いてうずくまり、頭を片側に傾け、垂れた長い黒髪は左耳のところで二つに分かれている。

その体勢で固まってしまったかのようだ。

「反応していないの？」カーリーが訊ねた。「不具合が発生したビデオゲームのキャラクターみたいに？」

「わからない」そのことを認めたマラの体に寒気が走る。「彼女が何をしているのかわからない」

「何かを聞こうと耳を澄ましているようにも見えるんだけれど」カーリーはマラの方を見た。「もしかしたら、あの中に彼女の大好きな歌が入っていて、それを何度も繰り返して聞いているとか？」

「そんなことはしないはず」

「彼女に質問することはできないの？　言語を習得しているなら、直接会話ができるんじゃない？」

「まだ無理。危険すぎる。もろいデジタルの心を破壊してしまうかもしれない。今はこのバーチャルなエデンの園だけがイヴにとっての世界なの。彼女はまだ私たちのことを知るための準備ができていない」

「彼女を天空から見下ろす神のことを、という意味ね」

マラはゆっくりとうなずいた。「でも、あなたの言う通りだと思う。彼女は何かを聞いているみたい」

〈でも、何を?〉

マラには思い当たることがあった。

「ちょっと試してみる」

素早くキーボードを打ち、別の診断プログラムを立ち上げる。シェネセの隔離されたシステムに入り込み、損傷を与えかねない強い高周波信号や局所的な送信信号などの妨害パターンを測定するプログラムだ。

画面の片隅に図表が現れた。

マラはプログラムが認識した結果に目を通した。「バックグラウンドの電磁波。無線。携帯電話の基地局からの送信。近くにあるワイヤレスルーター」図表の中の最も大きな波形を指差す。「これがかなり強い。マイクロ波ね」

「マイクロ波って電子レンジも出すんでしょ?」カーリーが開け放たれた窓の方に近づい

た。「角にレストランがある。あそこで何かを温めているとしたら――」

「そのマイクロ波とは違う」

マラは波形が少し小さくなったのを見て、ほっとため息をついた。

〈何でもなかったのかも〉

カーリーは窓際に立ち、午後の暖かな風を浴びている。カールのかかったブロンドの髪が風に揺れ、頬を照らす明るい太陽の光の中で影が踊る。黒いジャケットの裾がはためき、体の線のシルエットが目に入る。

マラは我に返って視線をそらし、コンピューターの画面に注意を戻した。うずくまっていたイヴがようやく動き、背筋を伸ばして立ち上がった。だが、頭は斜めに傾けたままで、髪の毛の間から耳がのぞいている。眉間にしわを寄せ、険しい眼差しを浮かべたその表情からは、張り詰めた感じがうかがえる。

まるで何かに怯えているかのようだ。

当惑と懸念の両方を覚え、マラはカーリーを呼んだ。「ねえ、これを見て」

窓から外を眺めていた友人がこちらに向き直り、部屋を横切って近づいてくる。その時、診断プログラムのウィンドウに表示されたマイクロ波の波形が大きくなった。画面上のイヴも頭を動かした。あたかもカーリーの歩みを目で追うかのように。

ふと最悪の事態を想定し、マラは体をこわばらせた。

カーリーもマラの不安を察したに違いない。「どうしたの？」

「携帯電話の電源は切ってあるはずよね？」

「ええ。バッテリーも外してある。あなたが言った通りに」

携帯電話はマイクロ波を使ってGPS衛星と通信している。それにより、GPSで携帯電話の所在地を追跡することができる。「ポケットを調べて。全部」

カーリーが緊急の要請に従っている間、マラも自分の服を確かめた。

〈何もない〉

突然、カーリーが目を大きく見開いた。上着のポケットからきらきらと光る金属製の硬貨のようなものを取り出す。「こんなの知らないわ。どうしてここにあるのか、さっぱりわからない」

マラには両方の謎の答えがわかっていた。空港でカーリーを後ろから羽交い絞めにした男のことを思い浮かべる。「それはGPSトラッカー。気づかないうちに仕掛けられたということ」

真相を知り、マラは扉の方を見た。

「それを頼りにやつらが近づいている」

午後二時五十三分

トドルはもう一本、ホテルのフロント係の指を折った。

もう片方の手で男の口を覆い、悲鳴が漏れないようにしている。二人の部下がホテルの奥の事務室でフロント係の体を椅子に押さえつけてくれているので、若い男の涙がにじんだ黒い瞳を正面からのぞき込むことができる。トドルは相手の苦痛を推し量ろうとした。どんな感じなのだろうかと不思議に思った。

痛みには、色やにおいや味があるのだろうか?

これまでの人生を通じて、トドルはその経験を少しでも味わいたいと熱望する一方で、自分には何が欠けているのだろうかと考え続けてきた。感覚による経験がすべて欠けているというわけではない。人に触れられればわかるし、寒ければ震えるし、体を動かせば汗が出る。しかし、ナイフで手のひらを切り裂いても、何も感じないのだ。

痛みというのは生きていくための教訓だと、体が生まれながらに持つ警告の仕組みだと教わったことがある。同じ症状に苦しむ人の多くは若くして命を失う。見過ごされたり無視されたりしていた怪我のせいで死ぬこともあるが、たいていは愚かな危険を冒したことが原因だ。痛みという抑制が効かないため、何でもできるような気になってしまう。

幼くしてクルシブルに受け入れてもらったトドルは運がよかった。組織によって課された厳格な訓練としつけのおかげで命拾いしたようなものだ。

人質からは痛みについて何も学べないと判断し、トドルはフロント係――磨き上げた石炭のような色の肌をしたナイジェリア系移民の男の悲鳴が、しゃくりあげるような泣き声に変わるまで待った。

トドルの率いるチームがホテルのロビーに入った時、棒のように細い手をしたフロント係は電話中で、相手と言い争っているところだったらしく、早口の母国語でまくしたてていた。トドルはやすやすと男に近づくことができた。電話が終わるのを待つ間、その異教の言葉を聞くうちに、怒りがこみ上げてきた。このけがらわしい連中は新たな土地に溶け込もうという考えすら持っていないのだ。

トドルは相手の口から手を離し、自分の鼻先が黒人野郎の鼻先と触れそうになる距離まで顔を近づけた。「もう一度聞く」トドルは穏やかな口調で語りかけた。「女がここにいることはわかっている。部屋番号を教えろ」

フロント係の肩越しにはメンドーサが持つｉＰａｄが見える。あのｉＰａｄを利用して、ターゲットをカイス・ド・ソドレ地区のピンク・ストリート沿いにある、これといった特徴のないこのホテルまで追跡できた。建物は同じような宿泊施設が連なる中にあり、どこもペンキは剝がれかけ、漆喰《しっくい》にはひびが入り、鉄製のバルコニーは今にも崩れそうだ。その並びにはタバコの煙が充満していそうなバーや怪しげなクラブがあるものの、クリスマス休暇でほとんどの店は閉まっている。

あいにく、GPSトラッカーはこのホテルを突き止めたものの、建物内のどこにターゲットが潜んでいるのかまでは特定できなかった。そのため、慎重に尋問を行なう必要が生じたのだ。チームはロビーを封鎖したが、もともとロビーの中も外の通りも人の行き来がそれほどあったわけではなかった。トドルはフロント係を奥の事務室に引きずり込み、マラ・シルビエラの写真を見せたのだった。

「彼女は……彼女のことは知りません」フロント係は苦しそうに答えた。さっきと同じ答えだ。「本当に知らないんです。午前中にシフトを交代したばかりなので」

トドルは次の指をつかんだ。

「どうか、お願いですからやめてください」

トドルが指を折り曲げるより先に、部下の一人が事務室に飛び込んできた。部下は怯え切った若い女性従業員の首根っこをつかみ、脇腹に拳銃を突きつけている。

「ファミリアレス、この女は魔女が隠れている場所を知っています」

相手の首を揺さぶりながら、部下は従業員に知っていることをもう一度話せと強要した。

女の話を聞き、トドルは天井を見上げた。

〈四階の部屋〉

トドルはフロント係の男に視線を戻し、ブーツに留めてあった狩猟用ナイフを引き抜いた。

男は目を丸くした。白目の部分が目立ち、瞳が小さく見える。「やめてください。お願いです。私には妻が……子供たちが……」

トドルはゆっくりと男の喉を切り裂き、訴える声をかき消した。

背後でこもった銃声が聞こえた。それに続いて、人が床に倒れる音。

審問長からの命令は絶対だ。

目撃者は消す。

そう思いながらも、トドルはフロント係の男の目から決して視線を外さなかった。喉を切り裂いた痛みは味わうことができないかもしれないが、命とあらゆる希望が最後の苦しそうな息遣いとともに途絶える瞬間の相手の苦痛ならば理解できる。

トドルはフロント係のシャツでナイフの血をぬぐい、ブーツの鞘に納めてから部下たちの方を向いた。

「マレフィコス・ノン・パティエリス・ヴィヴェレ」呪文のように唱える。

全員からうなずきが返ってくる。命令はしっかりと伝わった。

〈魔女を生かしておいてはならない〉

午後二時五十八分

〈さあ、マラ、急いで……〉

カーリーは片膝を突いてケーブルを巻き取り、床に置いた黒いケースのポケットにしまった。内部に保護用のクッションを敷き詰めたケースからは、いくつものSSDが突き出ている。カーリーがケーブルを抜いて片付けている間、マラはシェネセをシャットダウンしてイヴをスリープモードに移行させるための作業を始めていた。ただし、音楽のサブルーチンが完了するまで待ってからそれを実行に移す、というのがマラの意見だった。

〈中断したら、イヴに修復不能な損傷が及ぶかもしれない〉

カーリーはシェネセの中に入っているのがマラのプログラムの唯一のコピーなのを知っていた。光る球体の中に生まれた他に類を見ない意識を収容できる装置はほかに存在しない。母やほかの人たちの殺害について最初に生み出されたイヴが知っていることを突き止めたいのならば、このプログラムを無傷で守らなければならない。

そうは思うものの……

「もっと急いで、マラ」

「サブルーチンが終わった」

友人がUSB-Cのケーブルをラップトップ・コンピューターから引き抜いて放り投げ

た。カーリーがケーブルを巻いている間に、マラはラップトップ・コンピューターの指紋スキャナーに親指を押し当て、すぐさま目にも留まらぬ速さでキーを叩き始めた。

「何をしているの？」

「中止コードの入力。イヴの動きを停止させるの」突然、生まれた時から慣れ親しんでいる言葉でマラが悪態をついた。「アボルト・デ・カラマル……」

カーリーは笑みがこぼれそうになるのをこらえながら、ＳＳＤの入ったケースをしっかりと閉じた。友人と親しくなるために、カーリーはマラの母語のガリシア方言を勉強していた。外で話をする時にはまわりの人に聞かれても平気なように、ガリシア方言を使うこともあった。今のフレーズ――現地の罵《ののし》り言葉を直訳すると、「おまえは成長の止まったイカだ」といった感じの意味になる。怒りを表す言い方にしては変わった表現だが、カーリーはその言葉に不思議な魅力を覚えた――その悪態を使った人物のことを考えるとなおさらだ。

「どうかしたの？」カーリーは訊ねた。

「二十文字から成る英数字の、しかも大文字と小文字を区別しなければならないパスワードを、大あわてで打とうとしているんだから。初めからやり直さないと」

「深呼吸をして。あなたなら――」

マラの背後で扉が破裂した。砕け散った扉が破片となって室内に降り注ぐ。大男が部屋に侵入してきた。両腕を伸ばし、はっとして振り返ったマラのことをつかもうとしている。

カーリーは勢いをつけて床から立ち上がり、チタン製のケースの取っ手を握って振り回した。中身の詰まった容器が両肘を直撃し、腕を払われる格好になった男はバランスを崩した。

一人目に続いて次々と男たちが部屋になだれ込んでくる中、カーリーはマラをつかみ、開けっ放しの窓の方に後退した。逃げ道は落書きだらけの非常階段しかない。カーリーは肩を使ってマラを窓の外に押し出し、自分もその後に続いてバルコニーに落下した。

窓台から一緒に落ちた小さな白い皿がカーリーの肘の下で割れた。バルコニーではいきなり侵入してきた二人を威嚇して、黒ネコが甲高い鳴き声をあげる。

金属製のケースを盾代わりにしながら、カーリーはマラに危なっかしい階段を下りるよう促した。窓から何本もの腕が伸びる。カーリーには届かなかったものの、指がケースの取っ手をつかんだ。カーリーは空いている手で割れた皿の破片をつかむと、襲撃者の手に向かって突き出し、指の関節のあたりを切り裂いた。

相手がひるみ、そのはずみでケースの取っ手を握る指が離れた。カーリーはマラに続いて階段を一気に、バルコニーから下のバルコニーに飛び移らんばかりに駆け下りた。真っ逆さまに転げ落ちるような勢いで、下の通りを目指す。

頭上で銃声が鳴り響いた。銃弾がカーリーの耳元の手すりに跳ね返って火花を散らす。

カーリーが首をすくめると、それに続けて大声のスペイン語で怒鳴りつける声が聞こえた。撃った人間のことを怒っているようだ。

〈私たちを生け捕りにする気だ……〉

身軽に駆け下りる友人の後頭部を見ながら、カーリーはその考えを改めた。

やつらはマラを生け捕りにしようと目論んでいる。

二人はようやく二階部分のバルコニーまで到達した。マラが留め金を外し、ホテルの裏側の狭い路地に梯子を下ろす。

「下りて、急いで……」カーリーはせかした。男たちが階段を駆け下りている姿を思い浮かべる。それとも、ホテルの正面側から回り込もうとしているかもしれない。

二人は梯子を滑り下りた。路地を抜けて角を曲がり、いちばん近い通りに逃げる。道を挟んだ向かい側にある半地下の薄汚いバーに通じる階段の奥から、クリスマスソングが聞こえてくる。二人の逃亡劇には不似合いのＢＧＭだ。

「タクシーを……」マラが苦しそうに息をしながら、左手に停車するタクシーを指差した。

二人はタクシーに向かって走った。クリスマス休暇の午後のため、通りにはほかの車がまったく見当たらない。一人の男性がその一台しかないタクシーに乗り込もうとしていた。

マラがその男性の前に割り込み、すでに開いていた扉をつかんだ。「セニョール、ポル・ファヴォール」

二人の必死の形相に気づいたのか、男性はマラの訴えを聞き入れて後ずさりすると、二人を乗せてくれた。「フェリス・ナタウ」クリスマスを祝う言葉とともに、男性は扉を押して閉めた。

タクシーが走り出し、ホテルから離れていく。

カーリーはほっと一息ついて座席に深く体を沈め、膝の上のケースを抱えた。隣に座るマラはリアウインドーの向こうを見つめている。その表情は心配しているようでもあり、怯えているようにも見える。カーリーも同じ思いだった。逃げる時の混乱で置き去りにしてしまったもののことが気にかかる。

マラが前に向き直りながらつぶやいた。「何てことをしてしまったんだろう」

午後三時六分

トドルは部屋の床にしゃがんだ姿勢で、クッションを敷き詰めたケースに収納されているガラスと金属の球体に見とれていた。ここで回収しようとしていた戦利品の半分にすぎないが、差し当たってはこれでよしとしなければならない。

背後ではメンドーサがラップトップ・コンピューターを調べながら、入手したものをここから移動させても安全かどうか、判断しているところだ。残りの部下たちはホテルの外に展開し、二人の女がこの界隈《かいわい》から離れる前に身柄を確保しようとしている。

捜索中の部下たちからの報告が入るのを待つ間、トドルは床の上の装置に注意を戻した。内部で輝く空色の光がいくつもの小さな窓から漏れていて、あたかも青空の断片がその中に閉じ込められているかのように見える。その設計の見た目にある種の美しさが備わっていることは認めざるをえない。

だが、だまされるわけにはいかない。

「イプセ・エニム・サタナス・トランスフィグラト・セ・イン・アンゲルム・ルシス」トドルはコリント人への第二の手紙からの一節を球体にささやきかけた。

メンドーサが小さな驚きの声を漏らした。

トドルは立ち上がり、チームのコンピューター専門家の隣に並んだ。「どうした？」

メンドーサはラップトップ・コンピューターの画面から顔を離し、脂ぎった髪を手のひらでさすった。「この創造物は素晴らしいの一言に尽きます。とにかく見てください」

トドルは大きな体を二つ折りにして画面をのぞいた。そこには緑豊かな森の光景が広がっていて、花をつけた枝の下には一面にシダが生い茂っている。太陽の光があらゆる葉や花びらに反射する。穏やかな風が揺らす低木の細い枝には、たくさんの実がなっている。再現された景色のあまりの見事さに、トドルはその庭園から漂う芳香を嗅いだようにすら感じた。

〈エデンの園の一部をのぞき見ているかのようだ〉

しかも、この庭園内には人がいる。

全裸の女が庭園の中央に立っていた。片方の手のひらを苔《こけ》の生えた石に添えて体を折り曲げ、低木の枝からブラックベリーを一粒、そっと指でつまみ取る。もいだばかりの実を太陽に向かって掲げてから、女はふっくらとした完璧な唇に持っていった。ブラックベリーを口に入れると、もっとじっくり味わおうとするかのように、そっと目を閉じる。その間に、トドルの視線は彫刻のような体つき、濃いコーヒー色の肌、堂々とむき出しになったままの乳房へと移っていった。

「私が確認したところでは」メンドーサが言った。「この女を『イヴ』と名づけたみたいです」

〈そうだろうな〉

トドルは姿勢を戻した。そのような冒瀆《ぼうとく》を思うと、感嘆の念も消えていく。「こいつを生み出した魔女はどうなった？」

メンドーサは明らかに気が進まない様子でラップトップ・コンピューターから目を離し、その隣に置いてあるｉＰａｄの画面を見た。「信号によれば、二人の女はかなりの速さで移動していいます。タクシーを捕まえたのでしょう」

「女たちの逃走経路を追いながら、移動に備えてすべてを確保しておけ」

「はい《シ》、ファミリアレス」

トドルは最後にもう一度、ラップトップ・コンピューターの画面を凝視した。審問長がシェネセで何をしようと計画しているかは承知しているし、この装置の中に潜む忌まわしい存在についても知っている。魔女の身柄を押さえることはプラスではあるものの、あの女はこれから先、なくてはならない存在というわけでもない。

じっと観察するうちに、トドルはまたしても画面の中の美しさに魅了された。メンドーサが絶賛していた通り、素晴らしいの一言に尽きる。それでもなお、トドルはだまされまいと思った。庭園内に立つ女を見つめる。女は再び目を開いていて、まるで真っ直ぐこちらを見返しているかのようだ。トドルはあの瞳の輝きの奥に何が隠れているのかを知っていた。

この世のものとは思えないその目から視線を外すことなく、トドルはコリント人への第二の手紙からの一節を改めて口にした。自らを戒めるために、そして感嘆しているメンドーサに油断するなと警告するために。

「イプセ・エニム・サタナス・トランスフィグラト・セ・イン・アンゲルム・ルシス」

これから先、全員がそのことを心に留めておかなければならない。

トドルはラテン語を翻訳しながら、もう一度その一節を頭の中で繰り返した。

午後三時二十二分

「どうやら餌に食いついたみたい」カーリーが言った。

マラはひとまず安堵しながらうなずいた。二人はうっすらと煙でかすんだ半地下のバーに隠れていた。店内はタバコとパチョリのにおいがする。古いジュークボックスから雑音交じりにクリスマスキャロルのメロディーが流れてくるのを聞きながら、汚れのこびりついた窓から外の様子をじっとうかがっているところだ。

さっきカーリーがつま先立った姿勢になり、上着の肘のところを使ってガラスの隅の汚れをぬぐい取ってくれた。その隙間から、ピンク色に舗装された通りの向かい側に位置するホテルの正面をのぞき見ることができる。タクシーに乗り込んだ後、マラは車を数ブロック走らせてから、運転手に停まるよう指示した。タクシーを降りる前、硬貨ほどの大きさのGPSトラッカーを座席の隙間に押し込んでおいた。車が追跡装置とともに走り去ると、二人は周囲に目を配りながら狭い路地をたどってホテルの方に戻り、裏口からこのバーに入ったのだった。

窓の汚れの隙間から、マラは自分のライフワークがホテルの正面に停車中のバンに積み込まれるのを見つめた。奪われるのを阻止する術はない。バーテンダーに事情を話して頼み込み、店の電話を使わせてもらって通報したところで、警察が到着する頃にはすでに手遅れだ。自分たちの携帯電話を使用するわけにもいかない。そんなことをすればタクシーでの偽装がばれてしまい、再び敵の注意を引く結果になる。

カーリーはバーのナプキンを石の壁に押し当て、バンのナンバーを書き留めている。マラを肘で押しのけ、のぞき穴から外の様子を探っていたが、やがて小声で悪態をついた。

「どうしたの？」マラは訊ねた。

「この角度からだと最後の三つの数字が読み取れない」

マラは顔をしかめた。「わかっているだけで十分かも」

二人は襲撃者たちが立ち去るのを待って警察に通報し、その後もここに隠れているつもりでいた。警察が到着するまでは身を潜めていなければならない。そこから先はナンバーを頼りに警察にバンを追ってもらい、カーリーの母親とブルシャスのほかの四人の女性の殺害に関与した男たちを捕まえてもらえればと考えていた。

けれども、そのことが二人の計画の最重要項目ではなかった。

マラは庭園内にいるイヴを思い浮かべた。

「あいつら、立ち去ろうとしている」カーリーが言った。「残りの数字をちゃんと確認しないと」

二人は店の外に出たが、扉の近くからは離れなかった。通りまでは六段分の高低差がある。見つからないように用心しながら、階段の陰でうずくまったまま頭を少しだけ突き出し、走り去るバンのナンバーを読み取る。

「これでばっちり」そう言うと、カーリーは店内に戻るようマラに合図した。

友人がナプキンに書き殴った英数字を確認するのを見ながら、マラは後ずさりして店内に戻った。薄暗い入口をくぐった時、よどんだ空気が動くのを感じる。誰かが後ろから忍び寄ってくる。

マラはよけようとした。「カー――」

大きな手のひらが口をふさいだ。太い腕が腰に回される。何者かがカーリーの胸元に拳銃を突きつけた。大きく見開いた友人の目に怯えの色が広がる。

「ノ・テ・ムエヴァス」警告の言葉が聞こえた。

〈動くな〉

12

十二月二十五日　東部標準時午前十一時二分
ニュージャージー州プレインズボロ

疲れ切って打ちひしがれた状態のまま、別の病室に移ったモンクはキャットの手を握っていた。妻の顔色は青く、唇からは血の気が失せている。医療用の帽子の下からひと房だけ顔をのぞかせている鳶色の髪さえも、どこか色あせて生気がなく、かつての明るさや艶《つや》はうかがえない。

モンクは手を伸ばし、汗で貼り付いた額から髪を外してやった。その髪を自分の指に巻き、カールをつけてからそっと戻す。

〈これでいい。いつものようにきれいだ〉

その間も、装置や機器が発するキャットのバイタルの音に耳を傾け続けた。診断と予後に関して自分の心と折り合いをつけようと試みる。発作が起きた後、ＭＲＩのチームはキャットを落ち着かせ、急いでＩＣＵに搬送した。それから一時間、モンクは最愛の妻で二人の娘の母親でもある女性を失ってしまったのかもしれないと案じながら、ただ落ち着きなく歩き回ることしかできなかった。

その間、リサは時間の許す限り、付き添っていてくれた。

ようやくグラントと数人の医師たちが結果を伝えた。ひとまずキャットの容体は安定しているという。脳の出血も手術をするのはかえって危険だという程度にまで治まった。同時に、キャットはもはや自力では呼吸ができず、人工呼吸器を外せない状態だという暗いニュースも知らされた。最悪の知らせは脳波に見られた覚醒反応が消えたことで、それはキャットがもはや周囲の状況を認識できなくなったということを意味する。

〈本人にとってはその方がいいのかもしれません〉ＩＣＵの医師は重い口調で述べた。

モンクはその医師の顔面をぶん殴ってやりたいと思った。それに感づいたかのように、リサがモンクの義手をつかみ、強く握った。それも当然だろう。モンクの義手にはただのパンチ以上の破壊力が備わっている。様々な最先端技術が組み込まれているほかにも、握手だけではどうにもならない場合の非常手段として、手のひらの下には少量のプラスチック爆薬と起爆装置が埋め込んである。

医療スタッフの報告が終わるまで、リサはモンクの手を握って慰めると同時に、冷静さを失わないようにしてくれた。医師たちの見解は、キャットの容体が閉じ込め症候群の偽昏睡から、完全な昏睡状態に悪化したということだった。

〈我々にできることは何もない〉グラントは結論した。〈ここから先は待つしかないんだ〉

グラントの言う「待つ」とは、回復を待つという意味ではなく、死に至るのを待つという意味なのだろうとモンクは察した。

〈それとも、俺が避けられない現実を受け入れるのを待つということなのかもしれない〉

モンクはキャットの手を軽く叩いた。「だけど、君は俺が頑固な男だということを知っているよな。今までに俺が何かをあきらめたことなどあったかい？」

ナイトテーブルの上に置いてあった携帯電話が音と振動の両方で着信を知らせた。緊急の連絡が入ったという意味だ。モンクは電話をつかみ、シグマからの発信だと確認するとすぐに応答した。

クロウ司令官に通話がつながると、モンクは何の前置きもなしに質問した。「何かわかりましたか？」

キャットからの情報――おそらく彼女から得られる最後の手がかりで、同時に任務の遂行に不可欠な要素は、すでに伝えてある。「ヴァーリヤ・ミハイロフ」の名前だ。かつてのギルドの暗殺者が、娘たちとセイチャンを拉致したのだ。

返ってきたペインターの声は、不安を覚えるほどに淡々としていた。「モンク、覚悟して聞いてくれ」

モンクは心臓が止まりそうになった。千通りもの筋書き——すべて残酷な結末を迎える内容が、頭の中に満ちあふれる。息苦しさを覚える中で、どうにか質問を絞り出す。「何でしょうか？」

「十分前に動画ファイルを受信した。発信源は追跡不可能。これから君の電話に送信する」

モンクは携帯電話をきつく握り締めた。小さな画面を凝視するうちに視界が狭まっていく。「みんな死んだんですか？　結果を教えてください」

「そうではない。とにかく見てくれ。もうそっちにファイルが届いている頃だ」

モンクは画面上に現れたサムネイルをタップして開いた。画面が暗くなったかと思うと、映像が始まる。これといった特徴のない場所で、すべてが黒っぽい色の幕で覆われている。映っているのは三人。二人は覆面をかぶっていて、これまた特徴のないコートで全身をすっぽりと包んでいるため、体型や性別の手がかりになりそうなものは見当たらない。一人はカメラの近くに立っていて、もう一人は奥の椅子に座っている。椅子に座る何者かが膝の上に抱えている人物は体が小さく、緑色のつなぎタイプのパジャマを着ていて、カールのかかった鳶色の髪はキャットの髪の毛よりもいくらか色合いが明るい。

「ハリエット……」

手前側の人物が口を開いた。ロボットを思わせる声色は機械を介して変換されていて、絶えず調子が変わっているのでより不気味に響く。「二十四時間の猶予を与える。それまでにマラ・シルビエラのシェネセ・プロジェクトを確保して引き渡せ。彼女のニューロモーフィックな球体と、その中のプログラムの両方だ。スペインでの引き渡し場所はこのファイル内に暗号化されている。指示通りに動かなかった場合には――」話し手がハリエットの方を振り返った。娘の耳がヘッドホンで覆われているのは、これから先の言葉が聞こえないようにという配慮からなのか。「期限が過ぎたところで、まずはおまえに指を一本送る。それ以降は六時間ごとに一本ずつだ。続いて耳、鼻、唇。この子の存在がなくなるまで削り取っていく」

話し手がカメラの方に向き直った。「その次は二人目の子供で同じことを繰り返す」

始まった時と同じく、動画は唐突に終わった。

いつの間にかモンクは立ち上がっていた。恐怖のあまり、背中がこわばってしまっている。手のひらにはじっとりと冷や汗がにじんでいた。食いしばった歯の間からどうにか呼吸を繰り返す。声を出すことすらできない。

モンクの反応を予期していたに違いないペインターが救いの手を差し伸べた。「キャットのおかげで我々には相手よりも優位に立っている点が一つある。映像内の人物が入念に顔や姿を隠していることから推測すると、今回の拉致へのヴァーリャの関与を我々が察知していることは、本人はまだ気づいていないようだ」

モンクは絞り出すように息を吐き、ようやく話せるようになった。「彼女の捜索に関してはどんな具合ですか?」

「取りかかろうとしているところだ」ペインターは答えた。「しかし、慎重を期する必要がある。北東部一帯に彼女の顔写真を配布したりすれば、我々が存在に気づいたことを向こうに教えてしまうようなものだ。この小さな優位を失ってしまいかねない。そのため、裏のルートを密かに探り、最も信頼の置ける人物のみと情報を共有する」

モンクは理解できたものの、そうした制約に不満を覚えた。動画に映っていたハリエットの顔が頭から消えない。娘の表情にはこれまでに何度となく目にしたことのある怯えと怒りが入り混じっていた。

ペインターの説明は続いている。「また、DARPAの最新ソフトを使用して、防犯カメラや道路のライブカメラの映像を収集中だ。あいにく、ヴァーリャは何らかの手段でピアース隊長の自宅およびその周辺のカメラを妨害していたため、作業は困難を極めている。現在はDC一帯、さらにはその外にも、徐々に範囲を広げている段階だ」

モンクは首を左右に振った。そのようなやり方がうまくいくとは思えない。「あの血色の悪い顔をした魔女は変装の名人なんですよ」

「それはそうだが、我々の顔認識ソフトも最新技術の粋を集めたものだ。ほとんどのアルゴリズムは人物の特定のために十数カ所の顔の特徴を検索するにすぎない。DARPAの最新技術は百カ所以上を対象にする。メイクや顔面補綴《ほてつ》、さらには整形手術による変化すらも見抜くことが可能だ。ヴァーリャが顔を見せれば、変装していようがいまいが必ず見つけ出す」

電話をきつく握り締めながら、モンクは時間を意識していた。頭の中ではすでにカウントダウンが始まっている。〈あと二十四時間もない〉モンクは何者かによってハリエットの細い手首が木製のまな板に押さえつけられる様子を思い浮かべないようにした。振り下ろされる鉈《なた》のことも。ハリエットの悲鳴も。

「鑑識がグレイの自宅の捜索を終えたところだ」ペインターが続けた。「血痕《けっこん》の分類を進めているが、ほとんどは侵入者のもので、それもかなりの量だそうだ」

モンクはキャットに視線を向けた。

〈いい仕事をしたな、ハニー〉

「捜索を広げる助けになればと、ほかの人物――ヴァーリャのチームの身元特定のためのDNA解析を始めている。だが……」

ペインターの声が途切れる。それが何を意味するのかは明らかだ。

「二十四時間以内にヴァーリャを発見できる可能性は低い」モンクが言った。

〈すでに二十四時間を切っているし〉

「そうだ」ペインターが認めた。「唯一の望みは、キャットがそれ以上の何かを知っているか、捜索範囲を狭められる情報を持っているか、なのだが」

モンクは妻のやつれた表情を、機械の助けで上下している胸を見つめた。医療用帽子の下には頭頂部にかぶせた脳波測定用の電極のネットが隠れている。モンクは電極とつながるケーブルをたどってモニターに視線を移した。画面上には走り書きをしたような線が何本も連なっていて、地震計の波形のようなその線がキャットの脳の活動を表している。さっきドクター・グラントは、そのデータを見ながら画面上の一本の線に沿って指を動かし、同僚の医師にこうつぶやいていた。〈低振幅でバーストサプレッションを伴っている〉つまり、〈キャットはもうここに存在しない〉という意味だ。

「彼女は与えられる情報のすべてを提供しました」

「リサの考えでは、たぶん――」

「何だって言うんですか？　もっと時間があれば？　いいかげんにしてください。ハリエットに残された時間は刻一刻と少なくなっているんですよ。ペニーとセイチャンだってそれは同じです」グレイのガールフレンドとおなかの中にいる赤ん坊のことを思い出し、モンクは妻のベッドから一歩離れた。自分がここ、、、でできることはもう何もない。「これからグレイに合流します。向こうに行けば少しは役に立てますから」

少なくとも、何かをすることができる。

これ以上ただじっと待つことに、モンクはもう耐えられなかった。

長い沈黙が続いた。モンクは自分の意見を貫き通すため、司令官と激しくやり合う覚悟を決めていた。ヴァーリャを見つけ出せないのなら、拉致された三人を取り戻すためのいちばんの望みは、行方不明になった技術を確保することにある。

ようやくペインターが口を開いた。「レイクハースト海軍飛行場でF-15イーグルが給油中だ。ヘリコプターならそこから二十分もあれば到着できるだろう」

モンクは驚いたが、ペインターの言葉は予想しておくべきだった。相手の性格を見抜くことに秀でている司令官は、モンクの反応をあらかじめ想定して、移動手段を手配しておいたのだろう。

ペインターの説明は続いている。「グレイは一時間以内にリスボンに着陸する予定だ。君が到着したらすぐに合流できるように手筈《てはず》を整えておく。だが、モンク、これだけは理解しておいてくれ。この技術をヴァーリャに手渡すことは絶対にできない」

「わかっていますよ。でも、それを入手しないことには交渉材料がないですから」

「それならば我々の見解は同じだから、すぐにでも出発してくれ」

その決意を固めると、モンクは電話を切り、ベッドに近づいてキャットの頰にキスした。急がなければと思いつつも、これが妻とキスをする最後の機会になるかもしれないと思うと、離れがたい気持ちになる。

だが、モンクにはわかっていた。キャットも自分がそのように行動することを望んでいるはずだ。

モンクは妻の耳元に口を近づけた。「俺がみんなを助けてやる。約束するよ」

モンクは姿勢を戻し、目尻の涙をぬぐってから扉に向かった。廊下に出ると、リサがモンクに気づいた。ドクター・グラントのもとを離れてこちらに向かってくる。二人は何やら真剣に話し込んでいた様子だ。

リサが急ぎ足で近づいてきた。「どこに行く——?」

「ポルトガルだ。グレイと協力して捜索に当たる」

リサがキャットの病室に目を向けた。モンクは頬が熱くなるのを感じた。リサはモンクが妻を見捨てようとしていると考えているに違いない。「わかっているわ。あなたは行くべき」どうやらリサも夫と同じく、人の性格を見抜くのが得意らしい。「ちょうどペインターからメールが来たところ……動画について。私はとても見られなかったけれど」

「自分にできることをしなければならないんだ」モンクは言った。

「もちろん」リサは手を伸ばし、モンクの二の腕をいたわるかのように握った。続いて神経内科医の方を振り返り、もう一度キャットの病室に目をやる。「あなたがいない間に試してみたいことがあるの。まだ実験の域を出ていない方法。彼女を治すことはできないけれど、もしかすると——」

モンクはリサの手を振りほどいた。「君が最善だと考えることをやってくれ、リサ。俺は君のことを信じている」

「ええ、でも――」

モンクはその場を離れた。「いいからやってくれ」

モンクは廊下を歩き続けた。淡い期待は抱いていない。それよりも、次の段階に神経を集中させなければならない……さらにその先のことにも。一歩前に足を踏み出すたびにキャットとの距離が開くが、それによって娘たち――およびセイチャンの救出への距離が縮まると期待するしかない。

きっとグレイも同じように、セイチャンとまだ生まれぬ子供のことを案じ、不安でたまらないはずだ。

そうは思うものの……

〈グレイ、俺には最高の状態のおまえが必要なんだ〉

モンクはハリエットの怯えた表情を思い浮かべた。

〈俺たち全員が必要としている〉

第三部　破壊の前夜

13

十二月二十五日　西ヨーロッパ時間午後五時五分
ポルトガル　リスボン

グレイはリスボン空港のひっそりとした片隅にある旅行者用コインロッカーを開け、その前でしゃがんでいた。ペインターが手配してその中に隠した武器を各自に手渡す。

コインロッカーはコンコースの外れの、やや奥まった細長い場所に位置していて、ほかに人はいない。それでも念のため、コワルスキの巨体でターミナルビルの人の流れとここに一台だけある防犯カメラから、この作業を隠してもらっている。税関を通らなければならないし、空港内の警備も強化されているため、手持ちの武器はジェット機内に残さざるをえなかった。

グレイは新しいシグ・ザウエルＰ３６５を腰の後ろに留めたホルスターにしまった。ちょうどジャケットの裾で隠れる位置に当たる。九ミリ口径の自動拳銃はコンパクトなサイズで、密かに携帯するには最適な武器だ。ジェイソンも同じ拳銃をカーディガンの下のショルダーホルスターに入れた。二人の武器には暗視機能を備えた照準が付いていて、弾倉には標準の十二発よりも一発余分に装弾されている。

〈全部で十三発〉

不吉だとされる数字だが、銃撃戦ではその一発の違いが生死の境目になりうる。

〈不吉だなんて言えない〉

グレイから武器を手渡されると、コワルスキはうれしそうに小さく口笛を吹いた。「俺様へのクリスマスプレゼントだな。しかも、サンタクロースの膝の上に座ってにこにこする必要もなかったし」

黒のＦＮ Ｐ90はＮＡＴＯ諸国が採用しているブルパップ方式のアサルトライフルで、一発ずつと三点バーストの切り替えが可能なほか、フルオートモードならば毎分九百発の発射速度が出る。５・７×28ミリの弾はケブラーの防弾チョッキも貫通する。しかも、長さ五十センチというコンパクトな形状のため、比較的容易に隠すことができる。

コワルスキは長いレザーのダスターコートから片腕を抜き、肩に武器をぶら下げると、うれしそうになでた。「こいつにはたくさんの餌が必要だな」

グレイは予備の弾倉が詰まった重いバッグを手渡した。それぞれに五十発ずつ装弾されている。腹を空かせていてもこれだけあれば十分だろう。

コワルスキは再び長いコートに袖を通すと、体を軽く揺すって荷物の位置を調節した。足首まで届く丈のあるダスターコートは、小さな国ならば十分に侵略できるだけの武器を隠せる。

「さて、どうする?」大男が訊ねた。

暗視スコープなどのさらなる装備が入ったバッグをジェイソンに渡すと、グレイは立ち上がった。「ペインターがドクター・カーソンの家族――夫と娘のローラへの聞き取り調査ができるように手配してくれた。何らかの連絡が二人の若い女性からあったかどうかを調べるためだ」

〈マラ・シルビエラとカーリー・カーソン〉

家族は他人には想像できないほどの不安を抱えていることだろう。最初は大使が殺害され、次にその娘が空港で襲われて逃走中なのだ。もっとも、グレイの場合は、家族が抱いている恐怖や心配をわざわざ想像する必要などなかった。セイチャンや自らの子供、モンクの娘たちに対する不安をなるべく意識しないように努めているものの、それは獰猛《どうもう》な野犬を檻に閉じ込めようとするようなものだ。心の痛みが消えない。比喩的な意味ではなく、文字通りの意味での痛みだ。呼吸をするたびに胸が締め付けられるのを感じる。

モンクも同じように苦しんでいることだろう――彼の方がつらいはずで、剃刀《かみそり》の刃の上でバランスを取っているような不安定な状態にあるのかもしれない。グレイのチームにはクロウ司令官から、白い魔女ことヴァーリャ・ミハイロフの関与やキャットの容体の悪化など、アメリカでの状況に関する最新情報が伝わっていた。

ほかに何もできないため、モンクはすでにポルトガルに向かっていて、音速の二倍の速度で飛行可能な超音速戦闘機F-15に乗り込んでいる。空中での給油時間を考慮に入れたとしても、今から九十分後には着陸している計算になる。

グレイは友人の到着前に何らかの答えを手にするつもりでいた。

空港内を歩き始めると、ジェイソンが携帯電話をチェックした。「ペインターから特に新しい情報は届いていませんね。カーソン一家の警備担当者の一人が第一ターミナルで僕たちと落ち合い、家族のもとまで案内してくれることになっています」

三人は足早に合流地点を目指した。空港内を行き交う夕方の旅行客の無用な注目を集めないように意識しながら、グレイが先頭を歩く。それでも、すれ違いざまに振り返り、三人の動きを追う人たちが——正しくは、グレイのすぐ後ろに続く巨体をじろじろ見ている人たちがいる。コワルスキが一般客の中に溶け込むのは無理だ。しかも、大勢の人の間を縫うように歩きながら、葉巻のセロファンを剝がそうとしているから余計に目立つ。

「ここは禁煙ですよ」ジェイソンが注意した。若い分析官の姿はネズミが大きなゾウを叱っているかのようだ。

「そんなことはわかってるよ」コワルスキがようやくセロファンを剝がし、葉巻を上下の奥歯の間に挟んだ。「この絶品をくわえるだけなら、文句を言われる筋合いはないだろ」

グレイは大男と彼が愛してやまない葉巻との関係に口を挟むつもりなどさらさらなかった。ふと気づくと、前方の人混みの中で腕が一本、高々と上がっている。グレイの名前を呼ぶ声には威厳がある。

「ピアース隊長」

グレイはその方角に向かった。声をかけてきた男性は、ぱりっとした濃いネイビーブルーのスーツ、白のシャツ、細い黒のネクタイという堅苦しい服装だけでなく、イヤホンやそこから垂れて上着の下に消えているコードも含めて、いかにも警備担当者という格好をしている。

「ベイリー捜査官だ」男の声にはかすかなアイルランド訛りがある。「DSSのカーソン一家警備担当の主任として任務に当たっている」

グレイはアメリカ外交保安部の捜査官と握手した。接触相手の黒髪はスーツと同じく手入れが行き届いていて、耳のあたりは短く刈り込んでいる一方で、頭頂部は少し伸ばしているが、櫛《くし》を使ってまったく乱れがないように整えてある。肌は赤みがかった色をしていて、日に焼けた色がすっかりしみついてしまっているように見える。緑色の瞳からは知性がうかがえる。面白がっているかのように口角がかすかに上がっているのは、その視線がコワルスキの大きな体の頭のてっぺんからつま先を行き来しているからかもしれない。

長年にわたる実戦経験から、グレイは一目で相手を的確に判断できるようになってい
た。この捜査官は優秀で、自信に満ちあふれている。グレイはほぼ同年代と思われるこの
男性に対して、すでに敬意を抱いていた。愉快そうにしているその表情からも、何年も前
からの知り合いであるかのような親近感と安心感を覚える。

それでも、グレイは警戒を緩めることなく、周囲の状況に目を配った。

「君に伝わっているかどうかはわからないのだが」ベイリーが言った。「我々は二十分前
にローラ・カーソンと父親のデレク・カーソンを移動させた」

グレイが視線を向けると、ジェイソンが首を横に振る。これは新たな情報だ。

「ここで襲撃未遂事件が発生したため、外交保安部は場所を変えて家族を安全なところに
移すのが最善の策だと判断した。二人の少女が戻ってきた場合に備えて、ここには何人か
の捜査官を残してある」

〈賢明な判断だ〉

この男性は任務の進め方を心得ている。

「車は外でエンジンをかけたまま待機している。隠れ家までは十分もあれば着ける」

グレイはこの出迎え役の簡潔な説明と手際のよさに感心した。現地に到着したらすぐに
でも行動に移りたい性分だし、今回はいつにも増してその思いが強い。「そうしよう」

ベイリーを先頭にして、三人は空港のターミナルビルから夕暮れの迫る外に出た。地平

線近くに位置する太陽は、クリスマスが暮れかけていることに落胆しているかのようで、どこか不機嫌そうに見える。歩道脇にはどこにでもありそうな白のフォード・エコノラインが駐車している。グレイはジェット機内の豪華な内装を思い返した。どうやらDSSにはシグマほどの予算があるわけではないらしい。

ベイリーが扉を引き開け、運転手に向かって親指を立ててから、三人に対して車に乗るように促した。コワルスキが大きな体と隠し持ったライフルに苦労しながら、どうにか三列目のベンチシートに潜り込む。グレイとジェイソンは二列目の肘掛け付きの座席を選んだ。

ベイリーが車の前部を回って運転手の隣に乗り込んだ。助手席に座ると体を後ろにひねり、グレイたちに大きな拳銃の銃口を向ける。この状況を楽しんでいるかのような目の輝きが、ひときわ明るくなった。

「動くな」

午後五時十四分

マラは贅沢な内装の独房内を歩き回っていた。逃げ出すことはできないものの、歩き続けていれば恐怖を押しとどめておくことができる――ほんの少しだけれども。

カーリーは幅の広い四柱式ベッドの端に腰掛けていた。ベッドにはシルクの羽毛布団が掛かっていて、頭の側にはいくつもの枕が並んでいる。友人の動揺を表す唯一の印は、片方の膝が落ち着きなく上下に動いていることだけだ。カーリーは目を丸くして室内を見回した。「少なくとも、ペントハウスを手配してくれたみたいね」

マラも部屋の調度品を眺めた。いかにも価値のありそうな年代物の椅子に、小さなフランス調の机、壁には高価な絵画が何枚も掛かっている。その中の一枚の油絵は有名なポルトガルの画家ペドロ・アレクサンドリノ・デ・カルヴァーリョの作品のようで、キリストの脇腹の傷を確かめながら疑いで顔を歪める聖トマスが描かれている。

そのあからさまな疑念と不信の表情が、マラの思いと二人が現在置かれている状況を示している。

〈私たちは生きてここを出られるのだろうか〉

銃を突きつけられて通りからバーの店内に連れ戻された後、二人は店の裏口まで無理やり引きずられた。バーテンダーは二人の女性が拉致されるのを無視して、グラスをふいているだけだった。見て見ぬふりをするように賄賂《わいろ》をつかまされていたに違いない。それでも、マラはバーテンダーの顔に罪悪感がよぎっていることに気づいた――ただし、彼の良心の呵責も、二人が店の外に連れ出され、路地に停車していたバンに押し込まれるのを阻止しようとするほどは強くなかったようだ。

〈言う通りにしていれば君たちに危害は加えない〉銃を持つ男はそう警告し、勢いよく車の扉を閉めた。

二人は大人しく従うよりほかなかった。

少し走った後、車はサンパウロ広場近くの別の路地で停まった。広場の噴水が見えたし、水音も聞こえたし、その向こうには同じ聖人を祀《まつ》った教会の、正方形をした二本の尖《せん》塔《とう》も確認できた。マラは広場と教会の名前の由来になった聖パウロに心の中で祈りを捧げ、自分たちを助けてくださいと訴えた。

だが、その祈りは聞き入れられることなく、マラとカーリーは広場に隣接する高い建物に連れていかれた。建物は典型的なポンバル様式で、その名称は一七五五年の大地震後にリスボンの再建に尽力したポンバル伯爵にちなむ。効率を重視した新古典主義のこの建築様式は、経費削減の必要性から生まれたとされる。だが、装飾を排除した直線的な様式は、ヨーロッパがロココ時代の華美な装飾性を脱し、合理性と実用性をより重視する新たな啓蒙《けいもう》の時代に入ったことを物語っている。ポンバル様式の建築物は、店舗が連なる地上部分の屋根付きの街路と、その上の三階または四階の高さの居住空間を特徴とする。

マラがそんな時代のことまで知っている理由は、ポルトガルでの指導教官――コインブラ大学ジョアニナ図書館館長のエリサ・ゲラが総合的な教育の必要性を説いたためで、その中には館長が当然のことながら大いに誇りに思っていたポルトガルおよびイベリア半島を中心とする歴史も含まれていた。

そんなエリサにまつわる思い出が、カーリーの後について建物の最上階まで階段を上る力をマラに与えた。彼女は知識に対して、人生の輝かしさと不思議さに対して、尽きることのない熱意を抱いていた。最上階にたどり着くと、二人は奥の寝室に監禁された。入口の扉の向こうと、バルコニーに通じるフランスドアの外に一人ずつ、見張りが配置された。

それからすでに一時間以上が経過している。

「マラ」カーリーが声をかけた。「絨毯《じゅうたん》に足跡を残すのはやめた方がいいんじゃない？高そうだもの。持ち主の機嫌が悪くなったらまずいし」

マラは両腕を組み、ベッドに近づくと、カーリーの隣の腰を下ろした。「彼らは何をしているんだと思う？」

カーリーが扉をじっと見つめた。「たぶん、私たちをどうするか決めようとしているんじゃないの。このまま閉じ込めておく価値があるかどうか、判断を下している」

〈つまり、生かしておく価値があるかどうか、ということ〉

マラは胸の前で組んでいた腕をほどき、カーリーの手を取った。怖いからでもないし、安心を得たかったからでもなくて、ただ……それがしっくりくると思ったから、今はそうするのが自然だと感じたから。

カーリーがマラの手のひらを優しく握り返した。無意識の動作なのか、その親指がマラの手首をさする。「あなたのケースの中身を調べているんじゃないかな。私たちがシェネセも一緒に持っていると期待していたに違いないわ。私たちが生き延びるためには、もう一度あれを作り直せると彼らに信じ込ませなければならない」

すでに二人の間では、新たな襲撃者はカーリーの母親やブルシャスのほかの女性たちを殺害したグループとは別の一派で、たぶん競争相手なのではないかということで意見が一致していた。マラが大学から持ち出したものに関する噂が広まったに違いない。

別のハゲタカたちも狙っていたということだ。

「私たちのことを拷問にかけると思う?」マラは訊ねた。

「いいえ」

マラはほっとしたが、カーリーの話は終わっていなかった。

「拷問にかけられるのは私だけ」カーリーが断言した。「あなたの協力を取りつけるために」

マラはカーリーの手を握る指に力を込めた。

マラの顔をじっと見つめるカーリーの目がどこかうつろなのは、恐怖をこらえているからだろう。カーリーが唇をなめ、何か言いたそうな仕草を見せた。

マラも同じ気持ちだった。二人は知り合ってから五年がたっていて、十六歳から今までのその五年間は少女が大人の女性へ成長する時期に当たる。これまで二人は話をするのに何のためらいもなかった。ただし、ほとんどは電話での会話や延々と続くメール、あるいは短くて中身の濃いショートメッセージのやり取りだった。遠距離での友人関係が大半を占めていたが、世界は昔と比べてはるかに狭くなっている。ペンフレンドが返事をもらうまでに何週間も、場合によっては何カ月も待たなければならなかった時代とは違う。

それでも、大西洋を隔てて暮らす二人が実際に顔を合わせる機会はほとんどなかった。二人の友情や絆や深いつながりは、考えていること、夢見ていること、恐れていること、望んでいることを分かち合って生まれたものだった。

マラはカーリーを、額でカールした髪を見つめた。今、ここで言葉にすることができたなら。二人の間に残る最後の溝を埋め、これまで口に出していなかったことを伝える勇気があったなら。

マラはためらいすぎた。

カーリーは少し恥ずかしそうにうつむくと、扉の方に顔を向けた。ずっと二人を悩ませている疑問が言葉になって出てくる。

「あいつら、いったい何者なの？」

午後五時十八分

グレイは選択肢を天秤《てんびん》にかけた。顔の前にある銀のデザートイーグルを凝視する。装塡《そうてん》されているのは357口径または44口径のマグナム弾だろう。相手の揺るぎない視線は、これが冗談ではないことを示している。より小型の武器を使っていないことからも、その本気度がうかがえる。さらにまずいことに、今のグレイは自分の武器の上に腰掛けているも同然の状態だ。最後部の座席で窮屈そうに座っているコワルスキも、ライフルを取り出す余裕などない。ジェイソンはすでに両手を上げてしまっている。

このベイリーとかいう男、そもそもそれが本名なのかどうかも――

「私の名前はフィニガン・ベイリーだ」脅迫者が言った。「ただし、友人は『フィン』と呼んでいる」

「近いうちにおまえをそう呼ぶことはなさそうだ」グレイは返した。「あと、当てて見せよう。おまえはDSSの人間じゃないな」

「残念ながら、あのような優秀な組織の一員ではない。ただし、私の所属している組織も、目的遂行への強い思いでは負けていない。むしろ、上回っているかもしれないな」

相手のアイルランド訛りから、グレイは男がアイルランド共和国軍（IRA）の新派を名乗る新IRAのメンバーだろうと推測した。どうやらマラ・シルビエラの作品に秘められた可能性に注目して、ありとあらゆるテロ組織が動きを活発化させていると見える。

ベイリーが銃を持っていない方の手を顎の下に動かしてネクタイを緩め、ワイシャツのボタンを上から二つ外すと、その正体が明らかになった。男のワイシャツの下に隠れていたのは薄手の黒いシャツと、カトリックの司祭が着用する白のローマンカラーだ。

グレイは驚きの表情が浮かぶのを迎えられなかった。

〈本物のはずがない〉

ベイリーが銃を下げた。「こんなことをして申し訳ない。だが、君たち全員が武装しているものだから、性急な行動を起こされたら困るのでね」

「ふざけんなよ、このくそっ――」コワルスキは罰当たりな言葉を吐きかけて思いとどまった。

ベイリーは聞こえなかったふりをした。「あのような形で空港から連れ出さざるをえなかったのは、君たちだけでなく、監視の目も欺くためだ」

ジェイソンが両手を膝の上に戻した。「つまり、僕たちがカーソン一家の護衛とともに家族のもとに向かったと思い込ませるため」

「そうではないとしたら、俺たちはどこに向かっているんだ？」グレイは訊ねた。

「君たちをミズ・シルビエラとミズ・カーソンのもとに連れていく」ベイリーが真剣な口調で断言した。「二人は君たちの助けを必要としている。私としては、君たちが評判通りの能力を発揮してくれることを期待するばかりだ」

グレイは状況の変化の速さについていけなかった。

〈そもそもこの男を信用できるのか？　本物の司祭だという証拠は？〉

ベイリーはグレイの不信感を察したようだ。「私が本当にベイリー神父だということは保証する」その瞳に面白がっているかのような輝きがよみがえる。「聖職者が嘘をつくと思うかね？」

コワルスキが鼻で笑った。「聖職者は人の顔に拳銃を向けもしないと思うけどな」

「決して君たちを撃つつもりはなかった。たとえ自分の身を守るためであっても」

「それを今になって言われても」コワルスキは不満そうだ。「危うく小便をちびり——いや、粗相をするところだったぞ」

グレイは身を乗り出した。まだ疑いが抜けない。「君は何者だ？　いったい何がどうなっているんだ？」

バンが速度を落とし、広場の端に位置する高い建物の前で停まった。ベイリーが建物を顎でしゃくる。「あの中に入ったら、君たちにすべてを話す。手持ちのカードをすべて見せるつもりだ」緑色の瞳には楽しそうなきらめきがいまだに輝いている。「文字通りの意味で、そうするよ」

午後五時三十五分

扉の鍵が開く音を耳にしたカーリーは、ベッドから立ち上がった。拳を作りながら足を前に一歩踏み出し、マラと部屋に入ってくる何者かの間に立ちはだかる。後ろに引いた片脚に力を込め、重心を移し、隙があればいつでもキックを繰り出せるように身構える。

背後でマラも立ち上がった。

「下がっていて」カーリーは友人に警告した。

扉の向こうから差し込むまばゆい光の中に人影が姿を現した。部屋に入ってくると左右の手のひらを向け、何も持っていないことを見せる。カーリーは事情がわからず、顔をしかめた。長身の男性は黒ずくめの服装だ。靴も、ズボンも、ベルトも、シャツも。唯一の例外は顎の下に顔をのぞかせている白い部分で、その色は特有のカラーを表している。

〈司祭なの？〉

これは何らかの囮《おとり》に違いない。信用させようという罠だ。

「ミズ・カーソン、ミズ・シルビエラ、こんなにも長い間、待たせてしまったことを許してもらいたい。それと、何も知らせずにいたことも。関係者全員を一つの場所に集めるのに、予期していたよりも時間がかかってしまったものだから」男性は後ずさりすると、扉の外に向かって小さく頭を傾けた。「こちらに来てもらえれば、お互いのことをわかり合えるのではないかと思う」

カーリーは躊躇したものの、ぐずぐずしていても時間を無駄にするだけだと悟った。マラに小声でささやく。「私から離れないで」

〈チャンスがあればここから脱出してやる〉

マラに対してはそれ以上何も言う必要がなかった。扉の方に向かうカーリーのすぐ後ろを、あたかも影のようにぴったりとついてくる。

司祭は短い通路を通って二人をダイニングルームに案内した。大理石でできた暖炉で赤々と揺れる炎が室内を暖めていて、薪《たきぎ》のはじける音は二人を招いているかのようだ。高さのある窓からは広場を一望できて、向かい側にある教会の二本の尖塔が、まるで絵画のようにその中に収まっている。すでに太陽は沈んでいるが、夕暮れの淡い光はまだ空を照らしており、その光を浴びて教会の石造りのファサードが輝いている姿は、聖なる祝日の光とぬくもりが今も祈りの場所に残っているかのようだ。

「軽い食事を用意した」司祭の言葉でカーリーがテーブルに視線を移すと、そのまわりには男性の一団が立っていた。

チーズ、パン、果物が盛られた大皿を見ると、カーリーのおなかが鳴った。最後に何かを口に入れたのはいつだっただろうか？　ごちそうに気づいたマラの目からも、空腹感と疑いの両方がうかがえる。

テーブルに歩み寄りながら、カーリーは険しい顔つきの男たちを眺めた。出口の近くに立つ二人は、マラと自分をバーから拉致した男だ。カーリーは二人をにらみつけたものの、相手は表情一つ変えない。テーブルの向かい側にいる三人は初めて見る顔だ。その服装、物腰、表情から、カーリーは相手がまだ口を開かないうちに、三人ともアメリカ人だろうと当たりをつけた。

司祭が各自を紹介し、テーブルに着くよう促した。

三人がアメリカ人だというカーリーの予想は正しかった。いちばんの長身——火のついた葉巻をくわえてずっとしかめっ面でいる男性は、ホラー映画から飛び出てきたみたいな見た目で、つま先から脳みそまで筋肉でできているかのようだ。ほかの二人も同じように厳しい表情を浮かべているが、大柄な男性に比べれば少しはとっつきやすそうに見える。そのうちの一人からは強烈な思いのようなものがみなぎっていて、カーリーはその男性のことを、特に灰色がかった青い瞳を直視することができなかった。残る一人は自分と同じくらいの年齢だろうか。ブロンドの髪はくしゃくしゃで、どことなく可愛らしさが感じられなくもない。二人の女性が近づくと、その男性ははにかんだような笑みを浮かべた。その視線がほんの少しだけ、カーリーの方に長く向けられる。

カーリーはそうした注目を浴びることに慣れていないわけではなかった。

それでも、相手に笑みを返さなかった。

「さあ」司祭がなおも勧めた。「座りたまえ」

それぞれのグループに分かれ、五人はテーブルの両側に座った。司祭はテーブルの端に立ったままだ。「ピアース隊長、手始めとして、君が最初に手持ちのカードをテーブルに出すべきではないかな。そうしてもらえると話が早く進むと思うのだが」

「いったい何の話だ?」男性がきつい口調で問い返した。どうやらホスト役に対して好感を抱いていないらしい。そのことを知り、カーリーのこの男性への信頼が少しだけ高まった。

「君のIDカードの話から始めたらどうだろうか。君の組織の」

隊長からすぐには反応がなかったが、一呼吸置いてからその眼差しに変化が現れた。ポケットに手を入れて財布を取り出し、金属のような輝きがある黒いカードを引き抜く。男性はカードを指ではじいてテーブル上を滑らせた。カードはカーリーとマラの間で止まった。

光沢のある表面には銀のホログラムが浮かんでいる。

記号が一つ——ギリシア文字だ。

マラが息をのみ、カーリーと不安げに顔を見合わせた。「シグマ」

カーリーは背筋に力を込めて勇気を振り絞り、男性の目の奥で燃える冷たい炎を見つめた。「あなたは誰なの？」カードを肘で指し示す。「これはどういうこと？」

「俺たちはシグマフォースの隊員。ＤＡＲＰＡ傘下の組織だ」

マラが眉をひそめた。「それって米軍の研究・開発部門の？」

「その通りだ。ブルシャス・インターナショナルを経由して大学での君の研究に資金を提供していたのはＤＡＲＰＡだった」男性の視線がカーリーに戻る。「君のお母さんはＤＡＲＰＡの関与を知っていて、秘密厳守の誓いを立てていた。俺たちはマラのＡＩによって生成されたシグマの記号が、助けを求める要請だったのではないかと考えている」

マラが身を乗り出した。「私も同じことを考えたの」

若い金髪の男性――ジェイソンが口を開いた。「だけど、君は確かにそうだと言い切れるのかい？　この記号が現れたのは単なる偶然だとも考えられる。このデジタルのロールシャッハテストを深読みしすぎているのかもしれない」

「そうかもしれない」マラが首を左右に振った。「でも、本当のところはわからない。シェネセとプログラムがないことには」

「君たちはそれを失ってしまった」グレイが言った。すでに状況を知らされているのだろう。だが、その声や態度から非難するような調子はうかがえない。

「でも、私のサブルーチンが入っているドライブは守ったから」マラが補足した。

カーリーもうなずいた。「奪われかけたけれど、取り戻してやったの。やつらに渡すわけにはいかないもの」

〈……母を殺した犯人たちに〉

マラがはっと息をのんだ。「あらかじめ警告を受けていなかったなら、そっちも奪われていたかもしれない」

「どういう意味だ?」グレイが訊ねた。

マラはカーリーと顔を見合わせてから続けた。「プログラムが奇妙な行動を見せたの。私たちが襲われる直前のこと。何かに気づいたような様子で。私たちに仕掛けられた追跡装置から発するGPS信号を検知したんだと思う。でも、よくよく考えてみると、そのことがどうにも気になってしまって」

ジェイソンが一切れのパンとチーズをつかんだ。「どうしてだい?」

「イヴ――AIの名前だけれど、彼女はその信号に執着していて、何だか怯えているみたいな、まるでそれを認識しているみたいだった。今になって思い返すと、彼女は前の時のことを覚えていたんじゃないかって気がして」

ジェイソンが鼻にしわを寄せた。「前の時って?」

「図書館の襲撃の時」マラがカーリーにいたわるような視線を向けた。「もしカーリーのお母さん、またはほかの女性の誰かが同じ装置で図書館まで追跡されていたとしたら、イヴはそれを認識できたのかもしれない。前のバージョンの幻の記憶として、量子プロセッサーの奥深くに残っていたのかも」

「そしてその信号を流血と殺害に結びつけた」グレイが指摘した。

マラがうなずいた。「私が本当に怖いと思っているのはそこなの。イヴの現在の段階――ホテルから盗まれた時の状態は、繊細であると同時に不安定でもある。そんなもろい状態の時に、慣れていない人間の手で――」

司祭が遮った。「もっと悪い筋書きは、大惨事を引き起こそうとの意図を持つ人間の手に渡った場合だ」

全員の視線が男性に集まる。

グレイが眉をひそめた。「君は今回の件について何を知っているんだ、ベイリー神父？どう関わっているんだ？」

「ああ、そうだったな、ピアース隊長。私が持っているカードを君に見せると約束した」

神父は黒い光沢のあるカードを顎でしゃくった。「君がしてくれたように」

ベイリー神父はポケットから二枚の黒いカードを取り出し、テーブルの上で左右に並べた。同じ形をした一組の黒曜石のかけらみたいで、教会のステンドグラスの窓を長方形に切り取ったようにも見える。そんな印象を受けるのは、それぞれのカードに描かれた同じ模様のせいかもしれない。交差した二本の鍵がリボンで結ばれていて、その上には王冠が載っている。

カーリーには理解できなかった。それぞれのカードに記されているのがローマ教皇の紋章だということはわかるが、それによって何かが明らかになったわけではない。

テーブルを挟んで向かい側に座るグレイの眼差しが、二枚のカードを見つめるうちに険しくなっていく。するとグレイが勢いよく立ち上がり、その拍子に椅子が後ろに倒れた。

二枚のカードが持つ意味に気づいたに違いない。

グレイがつぶやいた。「これは双子……」

14

十二月二十五日　西ヨーロッパ時間午後五時五十五分
ポルトガル　リスボン

グレイは新たに得た知識とともにベイリー神父をテーブル越しに見つめた。

〈だからどことなく親しみを覚えたのか〉

相手の目には相変わらず、面白がっているかのような輝きが浮かんでいる。子供を温かく見守る父親の表情だ――何も知らない様子を楽しみつつ、何色にも染まっていないことをうらやんでいるかのような。グレイはこれまでに一度だけ、他人の目に同じ輝きを見たことがあった。その人はずっと年上で、今はこの世になく、かつて何度かシグマを助けてくれた。

ベイリー神父はテーブル上の二枚のカードを見た。「君はモンシニョール・ヴィゴー・ヴェローナの教えを忘れていないようだ」

コワルスキが濃い色の煙をふっと吐き出した。「神様もびっくりだぜ……」

よみがえる記憶に圧倒されそうになり、グレイは思わずテーブルの端をつかんだ。亡き友人のことを思い浮かべる――同時に、かつて心を奪われたモンシニョールの姪のことも。二人とも世界を救うために身を捧げ、命を落とした。

グレイはようやくテーブルに置かれた二枚のカードを指差した。「つまり、君はトマス派の正式な一員ということなのか？」

ベイリー神父は肩をすくめた。「モンシニョール・ヴェローナから誘いを受けた。私はかつて彼の教え子だった。彼がローマの教皇庁キリスト教考古学研究所で教授を務めていた頃の話で、ヴァチカン機密公文書館の館長に就任する以前のことだ。私は今、同じ道を歩みながら、彼がやり残したことを引き継いでいる」

「ということは、君もヴァチカンの諜報員なのか？」

ベイリー神父は再び肩をすくめ、否定も肯定もしなかった。

生前のモンシニョール・ヴィゴー・ヴェローナは教授や館長という肩書き以上の役割を担っていた。ヴァチカンの情報機関に当たる組織での活動にも従事していたのだ。

この事実を知り、ジェイソンが椅子に座り直した。「つまり、あなたはヴァチカンのスパイなんですか？　教皇のための？」

「カトリック教会全般のために活動している」ベイリー神父は答えた。

「だからあなたは僕たちがやってくることを、リスボンを訪れることを知っていたんですね」ジェイソンがグレイの方を見た。「僕が思うに、クロウ司令官が世界各地の情報機関に探りを入れた時――」

「我々のもとにも届いた」ベイリー神父が先回りして締めくくった。

テーブルを挟んで向かい側に座るドクター・カーソンの娘が立ち上がり、全員の注目が彼女に集まった。「あなたたちはいったい何の話をしているわけ？　この神父さんは秘密工作員みたいな仕事をしているってこと？」

グレイは説明の必要があると感じた。「ヴァチカンは主権国家だ。何世紀も前から、とまではいかないにしても、何十年も前から、秘密裏に諜報員を派遣して、差別的な扇動集団、秘密結社、敵対国家など、ヴァチカンの利害が脅威にさらされる場所に潜入させていた」

グレイはヴィゴーがウォルター・シスゼックの話をしてくれた時のことを思い返した。その司祭はウラジーミル・リピンスキーの偽名で活動していて、何年間もKGBから逃げ回っていたが、ついに囚われの身となり、二十年以上にわたってソヴィエトの刑務所に収監されていたという。

カーリーがベイリー神父をにらんだ。「つまり、あなたは司祭のカラーを身に着けたジェームズ・ボンドというわけね」

「ただし、我々は殺しのライセンスを持っていない」ベイリー神父はからかうような笑みを浮かべながら明言した。「我々にはそれよりも優先されなければならない神の掟《おきて》がある。だが、ミスター・ボンドと同じように、たまにはマティーニを楽しむのも悪くないね。もちろん、ステアではなくシェイクで」

マラが椅子に座ったまま身を乗り出した。二枚のカードを指差す。「でも、この記号の意味は何？」グレイのことを見る。「あなたは知っているみたいだけれど」

グレイはかつてヴィゴーがはめていた二つの金の指輪を思い浮かべた。それぞれにこの紋章が一つずつ刻まれていた。「これはトマス派の記号だ」グレイはカードをマラの方に動かした。「君には何が見える？」

「ただの教皇の紋章」マラは答えた。「両方のカードとも」

「もっとよく見てごらん」

マラは眉間にしわを寄せてカードを見つめたが、違いに気づいたのはカーリーが先だった。

「まったく同じわけじゃない」カーリーは一方のカードを指先で示してから、もう一方のカードに触れた。「よく見て、マラ。片方の紋章では左上から右下にかけてが色の濃い鍵でしょ。もう一方では右上から左下。鏡に映したような関係にあるのよ」

マラがグレイに目を向けた。「よく似ているけれども、まったく同じではない。つまり、さっきあなたが言ったように……双子の関係。でも、まだ理解できないんだけれど」

グレイは説明した。「ヘブライ語で『双子』を意味する単語が由来になっているのは『トマス』、つまり聖トマスのことだ」

マラが肩越しに振り返った。「疑い深いトマスのこと？　向こうの部屋に聖トマスがキリストの傷を調べている絵があったんだけれど」

興味をそそられ、グレイは彼女の視線の先に目を向けた。そのような絵画の存在は、この建物がトマス派の人たちの秘密の集会場だということを示しているのかもしれない。

そんな考えに呼び寄せられたかのように、グレイの背後の扉が開き、いかめしい顔つきをした年配の女性が部屋に入ってきた。白髪交じりの髪を白い帽子の下にきちんとまとめていて、年齢は六十代、あるいはもっと上だろうか。質素なグレーのローブの腰のあたりに紐を結んでベルト代わりにしている。象牙《ぞうげ》でできた杖《つえ》を突きながら部屋を横切っているものの、杖に頼る必要があるようには見えない。女性はグレイたちを無視してベイリー神父のもとに向かった。急ぐ様子はうかがえないが、そのしっかりとした足取りは内に秘めた力を感じさせる。

会話が止まった。女性が後ろを横切った時、グレイはうなじの毛が逆立つような感覚に襲われた。嵐を伴う前線がすぐ近くを通過したかのようだった。

女性はベイリー神父に歩み寄り、耳元にささやいた。女性が顔を近づけるのではなく、神父の方から頭を傾けて聞き入っている。この女性からは大人しく人の指示に従うようなところがまったく見受けられない――だが、仕えている相手がいるのは間違いなさそうだ。

女性が話を伝え終えると、ベイリー神父がうなずいた。「ありがとう、シスター・ベアトリス」

修道女は一歩後ずさりしたが、部屋を出ようとはしない。体の前に杖を突き、唯一の装飾でもある銀の握りの部分に手のひらを置いた姿勢でそこに立ったままだ。テーブルを見回した女性の視線がコワルスキに留まった。きっと結んだ唇の線がいっそう険しさを帯びたのは、不快感を抱いたからに間違いない。

コワルスキは相手の視線を受け止めようとしたが、すぐに屈した。叱りつけるような眼差しの裏にある意図を察した大男は、葉巻を指でつまみ、赤く燃える先端を灰皿に押し当てて火を消した。

それを確認すると、シスターは視線を外した。

〈大したものだな〉

ようやくベイリー神父が張り詰めた沈黙を破った。「自由に話をしてもらってかまわない。シスター・ベアトリスもトマス派の仲間だ」

マラが眉をひそめた。「さっきからあなたたちが言っているトマス派って何のこと？」

「確かに、君たちにも知っておいてもらうべきだ」グレイは二枚のカードを顎でしゃくった。「この双子の記号は、カトリック教会の中でトマスによる福音書に見られる教えを密かに守っている人たちのことを表している」

グレイはベイリー神父とシスター・ベアトリスを一瞥した。

カーリーが首を左右に振った。「トマスによる福音書っていうのは？」

「初期キリスト教におけるグノーシス派の教えの一つだ」ベイリー神父が説明した。「ローマ時代、まだキリスト教が公認されていなかった頃、秘密を守ることが最優先されていたため、信者たちは洞窟や地下室などの人目につかない場所に集まった。そのように隔絶されていた結果、個々の教えが多様化し、考え方にも違いが生じた。あちこちで福音書が乱立した。我々が聖書でよく知るものも、その中に含まれていたことは言うまでもない。だが、そのほかにも数多くの福音書があった。ヤコブによる福音書、マグダラのマリアによる福音書、フィリポによる福音書。それぞれを中心に異なる一派が誕生し始めたことで、揺籃《ようらん》期のキリスト教は分裂の危機を迎えた。それを防ぐために、四つの福音書が正典として選ばれた。マタイ、マルコ、ルカ、ヨハネだ」

「新約聖書に出てくる」マラが言った。

ベイリー神父がうなずいた。「それ以外は異端として排除された。その中にトマスによる福音書も含まれる」

マラは二枚のカードを調べた。「でも、どうしてトマスによる福音書が禁止されたの？」

グレイは答えた。「その根幹に関わる教義が理由だ。『求めよ、さらば与えられん』」

ヴィゴーにこの知識を教えてもらった時のことが頭によみがえる。二人が初めて出会ったのはグレイがシグマに加わってまだ間もない頃、聖書に登場するマギの聖骨の盗難に関連した任務を遂行していた時だ。

ベイリー神父がうなずいた。「キリストによる教えの中核を成しているのは、自分のまわりの世界の中に――そして自分自身の中に、神を探し求め続けることだ、そうトマスは信じていた。初期のキリスト教会はこの考え方を好ましくないと見なし、自らの判断で神を求めるのではなく、教会の教えと解釈だけを守るようにと伝えた」

コワルスキがつぶやいた。「信者席をいっぱいにしないといけないからな」

皮肉たっぷりの物言いに対してシスター・ベアトリスが大げさに眉をひそめ、コワルスキを黙らせた。

「もう少し複雑な事情があるのだがね」ベイリー神父が言った。「結局、トマスによる福音書は異端と宣告された。それでもなお、教会内にはその福音書の基本的な教えを尊重し、それを信じる者たちがいる。君たちも知っているように、キリスト教は科学と無縁ではない。カトリック系の大学や病院のほか、進歩的な考え方、新しい思想や概念を提唱する研究施設もある。確かにキリスト教には昔と変わらないところがあり、反応が遅いという側面も見られるが、そうした状況に異議を唱え、柔軟な組織であり続けようと努めている者たちもいる」ベイリー神父は黙ったままの修道女を指し示した。「それが我々の役目だ。トマス派の教えを今も信じ続けている者たちの」

〈カトリック教会という大きな存在の中に隠れている一派〉

グレイは二枚のカードを見ながら、ヴィゴーの温かい微笑みを、その目にいつも光っていた、何かをこっそり楽しんでいるような輝きを思い出した。テーブルを見回すうちに、自分をここに導いた力の存在にも気づく。シグマでの最初の冒険から今のこの瞬間に、一回りして戻ってきたような気がする。その流れが何世紀にもわたって過去にさかのぼり、同時に未来にも通じているのを感じることすらできる。

ベイリー神父の言葉でグレイは現在に引き戻された。「しかし、トマス派がカトリック教会内にある唯一の秘密の教えというわけではない。私がこの地を訪れたのは、ほかの一派の要請によるものだ」

その発言に驚き、グレイは相手をまじまじと見た。「いったい何の話だ?」

ベイリー神父はテーブルに背を向け、窓の外の広場の先に建つ教会を見つめた。クリスマスもすでに日が暮れ、建物は暗闇に包まれようとしている。

「古くからある教えだ」ベイリー神父はしばらく間を置いてから答えた。「その歴史はキリスト教の最初期にまでさかのぼる。この地域で創設された一派で、その教えを信じる者たちはそれ以来ずっと、無知という暗黒の流れと密かに闘い続けている」

「誰のことなの?」カーリーが訊ねた。

ベイリー神父はテーブルの方に向き直った。「君たちはラ・クラバについて何か知っているかね?　その一派の名前で、『鍵』という意味だ」

各自が顔を見合わせたが、誰もそのグループのことは知らないようだった。

「では、コルンバ崇拝については？」

グレイは首を横に振ったが、マラがはっと息をのんだ。その名前を聞いて思い当たる節があったのは間違いない。

「あなたが言っているのは聖コルンバのことね？」マラが確認した。

「その通りだ」

グレイはマラの方を向いて説明を求めた。「いったい何の話だ？」

マラは二枚のカードを見つめている。「コルンバはこの地域一帯で崇拝されているの」

「でも、誰なの？」カーリーが詰問した。

マラは友人の方を見た。「魔女の守護聖人」

午後六時八分

マラはまたしても罪悪感に胸を痛めた。自分を導いてくれた人たち——魔女扱いされた女性たちは惨殺されたのに、自分はまだ生きている。胃に穴が開きそうな不快感を覚えつつ、マラはダイニングテーブルの上にある双子のカードが表す教義を思い返した。

〈求めよ、さらば与えられん〉

その教えを突き詰めると、ある一つの言葉に、人類にとっての根本的な原動力にたどり着く。

〈好奇心〉

何千年も前から、専制君主や独裁者たちはこの力を押さえつけようとしてきた。疑問を投げかける人々の口を封じ、現状に異議を唱える書物を禁じ、それでも答えを探そうとする女性たちを火あぶりの刑に処してきた。子供たちは成長の過程でこの警告を教え込まれ、それが好奇心への戒めとなった。

〈男の子も女の子もよく聞きなさい、好奇心はネコを殺すんだよ〉

ピアース隊長の視線はマラの顔に向けられたままだ。「魔女の守護聖人だって？　そんなものがあるのか？」

ベイリー神父がその質問に答えたが、マラにはほとんど聞こえていなかった。この地域で生まれ育ったマラはその話をよく知っている。神父は聖コルンバの歴史について説明した。殉教者と見なされるほどまでにキリストを崇拝した聖人でありながら、世界に対して疑問を抱くことは決してやめず、魔女であることもやめようとしなかった。

「殉教した後もずっと」ベイリー神父は話のまとめに入った。「人々は彼女に祈りを捧げ続けている。邪悪な妖術を寄せつけないために、そしてよい行ないをする魔女や妖術師を守るために。やがて彼女を崇拝する熱狂的な一派が誕生した」

「それで、このラ・クラバというグループは？」グレイが訊ねた。

「聖コルンバを崇拝する者たちの中の秘密組織だ。『鍵』が誕生したのは魔女狩りがヨーロッパを席巻していた時代、十六世紀および十七世紀頃だ。彼らは魔女や妖術師を保護し、当時の闇に光を当てようと最善を尽くした。最後には勝利を収めた。粛清はようやく終わりを迎えたのだ」

「それなら、どうしてこの一派は今も存続しているんだ？」

「なぜなら、闇が完全に消滅することは決してないからだ。大きくなったり小さくなったりを繰り返しているにすぎない。この地域での魔女裁判はスペイン異端審問が取り仕切っていた。しかし、光に満ちた啓蒙の時代が台頭しても、異端審問の中で最も闇の深い一派は生き残った。彼らはラテン語で『クルシブルム』と名乗るようになった」

グレイの目つきが険しくなった。「英語だと『クルシブル』……『るつぼ』の意味だ」

「火によって清める器」神父が言った。

マラは一つの確かな真実を悟り、顔を上げた。

〈その炎は今もなお燃えている〉

「新しい理性の光が輝きを増すにつれて」神父は説明を続けた。「クルシブルはその力が衰え、隠れることを余儀なくされた結果、この新しい光に対する影の存在となった」

「『鍵』はどうなったんだ？」

「この地域における真の敵が誰なのかを決して忘れることなく、クルシブルの監視を続けている。両者による光と影、知識と無知の闘いは、決して終わることなく、人知れず続いている」

「今も変わらずそうなのか？」

「今だからこそ、とも言える。真実が攻撃される時代において、クルシブルはより強く、より大胆になる一方だ。彼らの意図は新たな暗黒時代を導き入れ、知識を握りつぶすことにある」

「そうじゃない」マラが発言すると、全員の注目が集まった。ほかの人たちからいっせいに視線を浴びて、マラは言葉に詰まってしまった。

その時、カーリーが手を握ってくれたおかげで、マラは自分の意見を主張する勇気をもらえた。

「彼らは知識を握りつぶしたいと考えているだけじゃない――知識を生み出す原動力そのものも押さえつけたいと考えている。好奇心を奪いたいと、世の中に疑問を抱く人さえも罰したいと考えている」

ベイリー神父が目を見開いた。「彼女の言う通りだと思う」

ありがたいことに、みんなの注目が司祭に戻った。

「好奇心は神からの恵みだ」ベイリー神父は続けた。「我々が自然界を探求し、学習するための道具になる。それを怠るのは神と神の創造物に対する冒瀆に当たる」

「そしてクルシブルはそれに対抗している」グレイが言った。

ベイリー神父がうなずいた。「彼らは権力と支配のことしか頭にない。絶対的な力で相手の頭を押さえつけ、無条件の服従を要求する。神による愛のこもった言葉にではなく、自分たちのリーダーの言葉だけに耳を傾けさせたいと考えている」

ジェイソンの疑問は最も重要な問題に焦点を当てた。「でも、そのリーダーというのは誰なんだろう？」

ベイリー神父は落胆のため息をつき、少し肩を落とした。「『鍵』はクルシブルの下っ端の戦闘員の多くをあぶり出し、始末してきたが、上層部の一員、なかでも審問長の正体は不明のままだ」

審問長という称号にマラは寒気を覚えた。この地域の血塗られた歴史を呼び覚ます単語だ。スペインやポルトガルで生まれ育った子供たちは誰でも、異端審問での残酷で非道な行ないの話に対する恐怖が心にしみついている。マラはその絶対的な闇の力が再び台頭しないように祈った。

ベイリー神父の説明は続いている。「『鍵』は大学の襲撃がクルシブルの仕業だと判断した。同時に、これは自分たちの手に余る事件だと認識し、ヴァチカンに連絡を入れて我々の援助を仰いだ。トマスを——知識と啓蒙を信奉する者として、どうしてその要請を拒むことができようか」

マラはカーリーの方に視線を向けた。「だからあなたは私たちを探したのね。でも、どうやって見つけたの？」

「さっきも言ったように、『鍵』はクルシブルの下っ端の戦闘員の何人かを知っていた。我々は彼らを監視下に置き、そのうちの身柄を拘束できた人間を尋問した。そうして得た手がかりをたどっている時に、幸運にも君たちを発見できた。だが、君のプロジェクトの確保に間に合わなかったことは申し訳なく思っている」

マラは不安を覚えながら椅子にもたれかかった。

「あいにく、我々も手いっぱいの状態なのだ。クルシブルはこちらの目を巧みにかいくぐり、太いコネを持っていて、しかも資金が潤沢にある。事態をより複雑にしているのは、同じ道筋を追っている別の怪しい一団と遭遇したことだ」

ジェイソンがグレイの方に頭を傾け、小声でささやいた。「ヴァーリヤ・ミハイロフが送り込んだやつらじゃないですかね？」

グレイが険しい眼差しで手を振り、その質問を遮った。「君が学んだことから判断して、マラのプログラムに対するクルシブルの意図は何だと思う？　どうしてマラと彼女のＡＩ研究に狙いを定めたんだろうか？」

「ある程度までしかわからない。だから君たちが必要なのだ。君たち全員の力が。彼らの狙いを阻止するためには、我々は同じ考えに立つ必要がある。私はまだ情報の分析に忙殺されている段階だが、拘束した敵を尋問した結果、彼らがミズ・シルビエラから奪ったプロジェクトとともに、どこに向かう計画でいるのかはつかめた」

マラは固唾をのんだ。心臓が口から飛び出しそうになる。「どこなの？」

ベイリー神父がシスター・ベアトリスにちらりと視線を向けた。この情報はさっきもたらされたばかりなのだろう。「フランスだ」

マラは眉をひそめた。〈フランス？〉

「方法および理由はわからないのだが……」神父は再び五人の方を見た。「彼らはパリを破壊するつもりだ」

15

十二月二十五日　西ヨーロッパ時間午後六時十分
大西洋上空

モンクは苦しみを振り切ることができずにいた——音速の二倍の速さで飛行しているにもかかわらず。

F-15イーグルの操縦席の真後ろに位置する兵装システム士官の座席に押し込まれているせいで、余計にそう感じるのかもしれない。ハーネスで体を窮屈な空間に固定された状態だ。両脚はほとんど動かせないし、ヘルメットに内蔵されている騒音減衰ヘッドホンも、プラット・アンド・ホイットニーのツインエンジンが奏でる苦痛の悲鳴のような音をほとんど遮断できていない。それればかりか、顔面に装着した酸素マスクは隔絶された気分を高めるばかりで、閉所恐怖症を引き起こす。

モンクは目の前の制御パネルで輝く時計を見た。

〈まだあと四十五分もかかる〉

超音速で飛行しているので、ニュージャージー州のレイクハースト海軍飛行場を離陸してからリスボンに着陸するまで、二時間しかかからない。

それでも、果てしなく長い移動時間に感じられる。

どうしてもキャットの身を案じてしまうし、映像にあったハリエットの怯えた表情を思い出してしまう。思うように進んでくれない時計につい目が向き、暗い大西洋上を突き進むジェット戦闘機という名の独房に閉じ込められたまま、一分、また一分とゆっくり時が刻まれるのを見るばかりだ。モンクはポルトガルへの到着時刻よりも、ヴァーリャ・ミハイロフの設定した期限の方が気がかりだった。

〈あとわずか二十二時間……〉

あの青白い女が娘を切り刻み始めるまでの残り時間はそれだけしかない。

頭の中に鳴り響くエンジン音に別の音が割り込んできた。「DCからの君宛ての電話をつなぐ」操縦士が無線で伝えた。

〈ペインター・クロウからに違いない〉

モンクの予想は当たった。モンクには気を紛らす材料が必要だと察したに違いないペインターは、定期的に最新情報を伝えてくれていた。それでも連絡が入るたびに、何か最悪の事態が、特にキャットの身に起きたのではないかと思い、モンクは心臓を締め付ける見えない手の力が徐々に強まっていくように感じた。

「モンク、もう間もなく着陸の時間だと思うが」ペインターが切り出した。「君に――」

「キャットの容体は？」モンクは訊ねた。

「すまない、まずはその話だったな。彼女は安定しているが、特に変化もない。実は別の回線でリサともつながっている。彼女から君に話したいことがあるそうだ。君が現地に到着する前に連絡をつけたかった理由の一つはそれだ」

「そのほかの理由とは？」

「動画ファイルの暗号を解読してスペインでの引き渡し場所を特定できたことはすでに伝えたはずだ」

ファイルに埋め込まれていた情報によれば、ヴァーリャは奪われた装置をマドリード中心部のある場所に持参するよう指示していた。

期限に間に合わなければ――

モンクはそんなことを考えたくなかった。「続けてください」

「ファイルに暗号化されていたデータにはメールアドレスも含まれていた。誘拐犯たち――ヴァーリャとの通信手段だ。我々がマラ・シルビエラのプロジェクトを確保できた時に連絡を入れるための方法として記されてあった。それを利用して私からヴァーリャにメールを送り、生存証明を要求した。女の子二人とセイチャンがまだ無事で、元気でいる証拠が欲しいと伝えたのだ」

「返事はあったんですか?」

「まだだが、届き次第、君にも内容を転送する」

モンクはふっと息を吐き出した。その証拠が何としてでも欲しい。

ペインターは説明を続けた。「同時に、連絡を取り合ううちに――メッセージのやり取りを繰り返すうちに、ヴァーリャが小さなミスを犯せば、それにつけ込んで彼女の居場所を突き止められるかもしれないと期待している」

〈なるほど〉

そう思いながらも、モンクはそのことに大きな望みをかけなかった。あの狡猾なロシア人の魔女がそう簡単に油断するとは思えない。相手がクロウ司令官なのだから、なおさら用心するだろう。

「それに時間を稼ぐことも可能かもしれない」ペインターが付け加えた。「引き渡しを先延ばしにするために、そうした要求を最大限に活用するつもりだ。その次にはグレイの子供に問題がないという証拠を示すように求める計画でいる。超音波検査やほかの証拠を手配させることで、今の期限を少しでも長く先送りにできればと考えている」

〈だが、十分な時間を確保できるのか?〉

例の技術の奪還に失敗すれば、そうした努力も水の泡だ。

「グレイから何か連絡は？」モンクは質問した。

「まだだ。アメリカ大使の家族から話を聞く予定になっていたのだが」

「今も空港にいるんですか？」

「いいや。各自の衛星電話のＧＰＳによると、空港から離れた地点にとどまっているようだ。家族の場所が移動になったのか、あるいはグレイたちが何らかの手がかりを追っているところなのかもしれない。新しい情報が入ったら、そっちにも知らせる」

モンクはグレイたちに一刻でも早く合流したいと思った。

「だが、さっきも話したように」ペインターが言った。「この電話をかけた最も大切な理由はリサと話をしてもらうためだ。キャットについての最新の情報を知らせたいと言っている」

モンクは酸素マスクを着けたまま大きく息を吸い込み、心の準備を整えた。

回線が切り替わるまでに少し時間がかかったが、リサの声が聞こえてきた。「モンク、あなたの方はどんな状態？」

モンクは高度計の数字を確認した。「こちらは高度千二百メートルを飛んでいる状態」

緊張を和らげるために軽いジョークを返そうとしたものの、きつい口調の声になってしまった。質問に対するいらだちがつい出てしまったのだが、それをリサにぶつけたところで仕方がない。

「すまない、もうすぐ着陸の予定だ」モンクはぼそぼそと言い直した。「俺と話をしたいということだったけれど」

「あなたが急に出発してしまったものだから、ジュリアン——ドクター・グラントからキャットに試してはどうかと提案があったことを説明する暇がなかったのよ」

モンクはリサが病院の廊下に立ち、神経内科医と話し込んでいた姿を思い出した。「今ならばたっぷり時間はあるぞ。この空飛ぶ独房に閉じ込められている状態だから。何の話なんだ?」

「正確には、あなたの許可が欲しいということ」

「何の許可だ?」

リサがモンクに話して聞かせた。

断熱効果のあるフライトジャケットを着用しているにもかかわらず、モンクは全身に寒気を覚えた。

「今の話がどんな風に聞こえているのかはわかっている」リサが言った。「私が何を頼んでいるのか、あなたは誰よりも理解できているでしょうし」

説明されたばかりの手順を頭の中で振り返るうちに、モンクの腕が自然と上がった。剃り上げた頭頂部を手のひらでさすろうとする。不安を覚えた時に出る仕草だ。だが、義手の手のひらはヘルメットに当たっただけだった。

「あと、このことはきちんと伝えておく必要があるけれど、ジュリアンはこれを試したら後戻りができなくなると信じている。試した場合は、二度とキャットを取り戻せなくなるという意味。これは治療法ではなく、死刑宣告と同じことなの。でも、キャットがほかにも何かを知っているかどうか、私たちがつかむためには、それがいちばんの、同時に唯一の可能性なのよ」

モンクは息をのんだ。「つまり、君は俺に対して、キャットを殺す許可を求めているわけだな」

「あなたの娘さんたちを救う可能性のために」

〈けれども、ただの可能性にすぎない……〉

だが、モンクにはそれで十分だった。

「進めてくれ」

東部標準時午後一時二十八分
ニュージャージー州プレインズボロ

〈ごめんね、キャット〉

リサは友人を無意味な拷問にかけているのではないことを祈った。

リサが座っている部屋からは、隣の手術室の内部を見渡すことができる。二人の神経外科医がキャットの頸部《けいぶ》を切開し、迷走神経に電極を巻き付けた後、縫合する作業に入っている。それと並行して、ジュリアンがもう一人の外科医とともにキャットの頭蓋骨に穴を開け、脳の視床に別の電極を埋め込んでいた。

危険な容体なのを承知しているため、医師たちは手早く手術を進めた。麻酔をかけることすらしなかった。キャットの脳の活動を示す脳波計には依然として覚醒反応が見られないため、その必要はないと判断したためだ。

リサもこの時ばかりはキャットがもはやそこにはいなくて、何も感じていないことを願った。

リサのきょうだいはカリフォルニアにいる弟一人だけだ。キャットと知り合ってからまだ十年もたっていないが、二人は本当の姉妹のように親しい間柄になっていた。〈私がずっと欲しいと思っていた妹〉リサがペインターと結婚式を挙げた時、キャットは花嫁の付き添い役も務めてくれた。ある意味、二人はペインターを共有しているようなものだ。シグマの首席分析官のキャットは、昔も今も、ペインターとともに過ごす時間がリサよりも長い。キャットはペインターの右腕で、夫が最も信頼を置く隊員で、意見を求める相手でもあった。

リサがそうした二人の絆に不快感や嫉妬《しっと》を覚えたりすることは決してなかった。これまでちゃんと伝えたことはなかったものの、そのことに感謝していた。リサには埋めることのできないペインターの人生の隙間を、キャットならば満たすことができる。そのおかげでペインターはより完全に近い存在になり、よりよい夫で、さらにはよりよい人間でいられる。

自分が何を失うことになるのか――みんなが何を失うことになるのかを意識しつつ、リサはこの試練の間も医師として冷静であり続けようと決意した。モンクと話をした時には自信に満ちた優秀な医師を装っていたものの、心の中では嘆き悲しんでいた。悲しみをこらえ、息をするたびに押さえつけているので、胸が痛む。

ようやくジュリアンが手術台から振り返り、リサに向かって親指を立てた。看護師と医師たちがキャットの移送の準備に入った。患者の体中に管やコードやケーブルがつながっているし、人工呼吸器も装着したままなので、場所を移動させるだけでも大変な作業になる。

リサはジュリアンのもとに向かうために部屋を出た。回復室に到着する頃には、神経内科医のチームはすでに手袋とマスクを外し、手術着も脱いでいた。興奮した様子のおしゃべりにリサは少しいらついたものの、前向きな雰囲気が感じられる。

その直後、キャスター付きのベッドでキャットが運び込まれ、それに続いてジュリアンも部屋に入ってきた。回復室はすでに準備ができていて、いつでもこの処置の次の段階が始められる状態にある。

リサはジュリアンに近づいた。「どんな感じだったの？」

「これ以上はないというほどうまくいったよ」ジュリアンが答えた。「だが、問題はここから……」

ジュリアンは肩をすくめ、キャットのベッドを二台の機器の間に置くよう、看護師に指示した。片側にあるのは脳波計で、電極付きのネットが髪を剃ったキャットの頭に再びかぶせられるのを待っている。もう一方の側にあるのは初めて見る装置だ。靴が一足入る程度の大きさの機器から何本ものワイヤーが出ていて、その先には陽極と陰極の導体パッドが垂れ下がっている。

こんな小さな装置にキャットの意識を回復させる可能性が秘められているとは、にわかには信じがたい。これは経頭蓋《けいとうがい》直流電気刺激（ｔＤＣＳ）として知られる手法で、キャットの脳の特定の部位に微弱な直流電気を送って刺激することにより、植物状態の眠りから呼び覚まそうと試みるものだ。

成功した場合はすぐにジュリアンのＭＲＩ検査室に戻り、うまくいけばそこでキャットともう一度、深層《ディープ》ニューラルネットワーク・コンピューターを通じた意思の疎通ができるかもしれない。

そういう計画だった。

けれども、このちょっとした奇跡を生み出すだけでも、患者には相当の負担がかかる――「最後の」犠牲を強いることになる。

ベッドが所定の場所に移されると、脳波測定用の電極付きネットでキャットの頭が覆われると同時に、ジュリアンが二つ目の装置のパッドの位置を指定した。

「一組のパッドは前頭前皮質の上に当たる位置にテープで留めてくれ」神経内科医が命じた。「ここと、ここだ。もう一組は頭部の横側に。ただし、頭蓋底骨折に注意すること。できるだけそっと扱うように」

リサは最後の指示が守られるのを確かめながら、ジュリアンのそばでじっと作業を見守った。

ジュリアンはtDCSの機器の準備に取りかかった。「まずは彼女の前頭前皮質に高周波数電流を流し続ける」ジュリアンがリサに説明した。「それと同時に、埋め込んだ電極を通じて患者の頸部の迷走神経と脳の視床を直接刺激する」

リサは電流がキャットの神経系を駆け巡るのを想像した。「成功の確率はどのくらい？まだキャットがそこにいるとして、覚醒させられる可能性は？」

「最善を尽くすつもりだ。これから使用するのは最小意識状態、つまり植物状態の患者を覚醒させた実績がある二つの手法だ。一つはベルギーのリエージュ大学で開発された方法で、昏睡状態に陥っていた十五名の患者——症状の程度には差があったのだが、彼らの脳の視床に電気刺激を与えたところ、短時間ながら質問に反応できるまでに覚醒させることに成功した。視床は言ってみれば脳にとってオンとオフのスイッチのような機能を持つ。そこに十ヘルツの刺激を与えると眠りに落ちる。四十から百ヘルツの間だと目覚める。アメリカでも繰り返し成功例が報告されていて、自宅で世話をする介護者向けの外来治療としても使用されている」

ジュリアンがため息を漏らした。

「何なの?」リサは訊ねた。

「君の友人はそうした患者と比べてもはるかに容体が悪化している。だから彼女の迷走神経——脳の覚醒中枢とつながっている神経だが、そこも同時に刺激すれば覚醒の助けになるかもしれないと期待しているところだ。少なくとも、フランスのある研究病院では、そちらの手法でも患者の意識を回復させることに成功している」

リサはうまくいくことを祈るばかりだった。

「ただし、治療法ではないからね」ジュリアンが改めて指摘した。「成功したとしても、効果は一時的だ。それに成功と失敗のどちらに終わったところで、すでに壊れかけている脳にかなりの電流を送り込むわけだから、この試みによって患者はおそらく脳死状態になる」

〈言い換えれば、私たちはキャットの回路をショートさせることになる〉

リサはうなずいた。モンクにも同じことを警告済みだ。「彼女も私たちにそうしてほしいと望んでいるはず」

それでも、ジュリアンは不安そうな表情を浮かべ、迷いを見せた。

「何を気にしているの？」リサは訊ねた。

「未知の要素だ」

「どういう意味？」

ジュリアンは片手を振り、ここで進められている準備を指し示した。「我々は脳の機能についてまだほとんど何もわかっていない。そうした研究病院では電気刺激によって成功を収めている一方で、それがうまくいく理由についてはいまだに理解できていない状態なんだ」

今のリサには理由などどうでもよかった。

〈うまくいくのであれば〉

「すべて準備が整いました、ドクター」看護師が知らせ、患者から一歩離れた。

ジュリアンがｔＤＣＳの機器のスイッチに手を伸ばした。最後にもう一度だけ、リサの方を見て確認する。

リサはモンクからの指示を繰り返した。「進めて」

ジュリアンがスイッチを入れた。

午後一時四十九分

真っ暗闇の中、はるか頭上で一つの星が光を発した。かすかな瞬きにすぎないが、暗闇を乱すのに十分な明るさがある。覚醒が始まるが、ぼんやりとかすんでいて、あちこちがほつれた糸のような状態だ。意識と記憶が引き出され、自分の名前を思い出すだけでも、永遠と思えるような長い時間がかかる。

〈キャット……〉

その光に神経を集中させる。弱々しい光だが、果てしない暗闇の中ではまばゆい目印になる。キャットは深い井戸にはまってしまった気分だった。目に見えるのはぼんやりとした星が一つだけ。穴から抜け出し、あの光に向かわなければならない。けれども、なかなか集中できない。意識が弱くなったり強くなったり、消えたり戻ったりしている。

それでも、キャットは心の目で実体を思い描き、井戸の石壁を想像した。石の隙間に指を入れ、両脚に力を込めて踏ん張り、その光を目指してゆっくりとよじ登る。懸命に進むうちに、星の明るさが増す。

しかし、その報酬には罰が伴う。

ほんの数センチ登るごとに、痛みが強くなる。星が点滅し、苦痛の波を発生させる。キャットはその嵐を耐え忍ぶよりほかなかった。上から押されるのをこらえつつ、こちらから押し返す。その光に向かって、情け容赦のない苦痛に向かって、少しずつ登っていく。暗闇の中で全身が燃えるように熱い。指は火がついているかのよう、両目は頭蓋骨の中で煮立っているかのよう。

キャットはふらつき、頭の中の壁を滑り落ちた。

ありったけの力を振り絞ると、焼けつくような手足で踏ん張って壁にしがみつき、落下を食い止める。頭上の光が暗くなった。キャットは泣きたかった。屈してしまいたかった。冷たい暗闇に戻りたかった。けれども――

〈進み続けなければならない〉

その理由を思い描く。

〈胸に抱き寄せた赤ん坊。まだ生え揃っていない髪にそっとキスをする。布にくるんだ小さな体は、まだ何も知らない存在、すべてを委《ゆだ》ねている存在。時が経過し、毛布の下から聞こえる笑い声。しょっぱい涙をぬぐってやりながら、痛がるのを慰める。あらゆることについて、どうでもいいことについて、果てしなく続く質問〉

そうした記憶を焼けつくような痛みへの塗り薬として使用しながら、キャットは再びよじ登り始めた。

果てしなく続くかのような、計り知れないほどの時間が経過した後、周囲からつぶやき声が聞こえてきた。暗闇の中に幽霊がいるかのような、ざわざわして聞き取ることができない声。

キャットは燃えるような熱の中を進み続けた。闘い続けなければならないから。

〈たとえそのせいで命を落とそうとも……〉

ようやくある声がよりはっきりと聞き取れるようになる。知らない男性の声で、単語は断片的だが、確かに聞こえる。

「……残念だ……うまくいかない……無理だと認めなければ……」

すると星が点滅して消え、すべてが遮断された。

周囲の壁も消滅する。

〈待って……〉

支えを失い、キャットは再び底なしの暗闇へと落ちていった。のみ込まれながら大声をあげる。

〈私はまだここにいる、私はまだここにいる、私はまだ――〉

西ヨーロッパ時間午後七時二分
大西洋上空

着陸に備えて高度を下げるF‐15の機内で、モンクはヘルメットをコックピットのキャノピーに預け、ポルトガルの海岸線を眺めていた。眼下に見える真っ暗な大西洋に隣接している明かりはリスボン市街で、澄み切った冬の夜空を反射した人工の星空のごとく輝いている。

操縦士がジェット機の翼を水平に戻した。機首が急角度で下向きになる。機体が地上に向かって一気に降下を始めると同時に、モンクの胃はぐっと押し上げられた。

〈もう間もなくだ〉

沿岸に到着後、F‐15はリスボンの中心部から約三十キロの距離にあるポルトガル軍のシントラ航空基地の管制塔から、しばらく待機するよう指示を受けた。米軍のジェット戦闘機からの滑走路への緊急着陸要請に、基地の管制官は慣れていないのだろう。

いらだちと不安を抱えながらの飛行だったことを考えると、モンクがこの遅延に怒りを覚えてもおかしくなかった。けれども、彼は操縦士がもう何度か旋回してくれないものかと思っていた。十分ほど前に入ったリサからの連絡に、まだ心の整理ができていない。

〈失敗した。彼女はもう戻ってこない〉

医師たちは「脳死」という単語を使用した。キャットを表すのにその言葉が使われるなんて、思ってもみなかった。あんなにも素敵な輝きが消えてしまうなんて、どうしてそんなことがありうるだろうか？

ヘルメットのバイザーで顔面が保護されている状態なので、モンクは涙をぬぐうことすらできなかった。もっとも、涙をぬぐいたかったわけでもない。涙を流さないなんて、キャットに失礼だ。モンクは目を閉じ、頭を後ろに傾けた。急降下が続いているため胃は横隔膜に押しつけられたままで、その横隔膜を震わせるすすり泣きはもはやこらえ切れず、今にも全身を揺さぶる嗚咽となってあふれ出ようとしている。

〈キャット……〉

ジェット機が不意に機首を空に向けた。機体がほぼ垂直の角度で急上昇し、エンジンの轟音《ごうおん》を響かせながら星に向かっていく。胸の上にハイイログマが乗っかっているような重みで、モンクはうめくことすらできなかった。重力が体を座席に押しつける。視界の端から黒いものが迫る。

またしてもいきなり機体が水平に戻り、座席から浮き上がりそうになった体がハーネスに食い込んだ。

〈いったい何が？〉

操縦士が無線で報告した。「すまない。ＤＣからの新しい指示だ。大至急、パリに向かうようにとのこと」

〈パリだって？〉

「あと、それとは別に君宛ての通信が入っている」操縦士が続けた。「そっちにつなぐ」

モンクは突然の予定変更に関してペインターから説明があるのだろうと予想した。同時に、目的地の変更は裏で糸を引いている女と関係があるのではないかと期待した。さっきのリサからの連絡を帳消しにするような、いい知らせかもしれない。

回線がつながると、モンクは前置きなしで切り出した。「どうしたんですか？　お願いですから、ヴァーリャについて何かわかったと言ってくださいよ」

何も応答がない。そのまま沈黙が長引くので、モンクは機体を急上昇させたために通信ケーブルに不具合でも発生したのだろうかと案じた。ようやく相手が話し始めると、その予想が正しかったように思われた。聞こえてきたのは機械で変換されたロボットのような声だったからだ。

だが、まずいことに、はっきりと聞き覚えのある声でもあった。

モンクの頭の中で脅迫の映像が再生された。

「どうやらこちらの正体を知っているようだな」相手が切り出した。

モンクの頭に、誘拐犯の膝の上に載せられたハリエットの怯えた表情がよみがえる。怒りが体中から湧き上がる。

機械による声の変換が中止されると、白い魔女の強いロシア語訛りがはっきりと聞き取れた。

「まあいい。もっと自由に会話ができるということだ、そうだろう？　おまえと私だけで」

16

十二月二十五日　中央ヨーロッパ時間午後九時二十八分
フランス　パリ

グレイはリムジンの窓の外にきらめく光の都を眺めた。クリスマスの夜を迎えていっそう華やかさを増している。世界に知られたその異名がふさわしいことを証明しようと、パリが一丸となってクリスマス休暇の間はほかの大都市の輝きを上回ろうとしているかのようだ。

グレイがどこに目を向けても、車が曲がるたびに、パリはその魅惑的な美しさの別の顔を披露してくれる。ショーウインドーはクリスマスの電飾で輝いている。公園や広場の真ん中では、魔法の世界から現れたかのようなクリスマス用のメリーゴーラウンドが回転している。星空の下の小さなリンクでスケートを楽しむ人たちがいる。道路沿いの街灯はすべてモミの枝の飾り付けが施されていて、それぞれの建物の窓や屋根も光り輝いているので、通りはおとぎ話そのままの世界に一変していた。

グレイたちを乗せたセスナサイテーションX+は、パリに二つある国際空港のうちの規模が小さい方で、目的地により近いオルリーに着陸した。その途中でエッフェル塔の上空を通過したが、鉄製の塔は前衛的なクリスマスツリーのように光り輝いていた。きらめくスカートのように広がる塔の基部の周辺にはクリスマスマーケットが広がっていて、巨大な観覧車の姿もあった。

そうした光のショーに見とれているのはグレイだけではなかった。パリ全体がクリスマスの夜を堪能していた。厚手のコートに身を包んだ人たちが通りを急ぎ足で歩いている。小さなカトリック教会を取り囲む公園で開かれている祝典に参加しようと、陽気な一団が大声で歌いながらガストン・ボワシエ通りを横切るので、リムジンの運転手が急ブレーキをかける。

子供たちの合唱団が公演のために準備している姿を見て、グレイの心臓の鼓動が大きくなった。長い歴史を持つクルシブルという名の敵が、この都市を破壊しようと企んでいるのだ。

じっと見ていることができずに、グレイは目をそらした。

通りの向かい側には大きな大理石の建物がある。屋根の下には「国立計量検査研究所」の文字が刻まれていた。フランスの国立研究所の一つで、ここでは工学、製造、計量を扱っている。

　グレイは小さく首を左右に振り、宗教と科学が交わるこの場所で車が停まったのは運命の導きなのだろうかと考えた。リムジンのベンチシートに目を向ける。グレイの隣にはトマス派のベイリー神父とシスター・ベアトリスが並んでいる。すぐ後ろの二列目に座っているのは、ジェイソン、マラ、カーリーという、科学の世界にいる若い男女三人だ。最後部は筋肉と本能で生きるコワルスキで、大きな体を三列目の座席に横たえていた。

　それぞれが人間の多彩な側面を示している。

　グレイはリスボンにいる時、運命の流れが渦を巻いていて、それに導かれた自分がモンシニョール・ヴィゴー・ヴェローナとの初めての任務から今日へと一回りして戻ってきたように感じたことを思い出した。今、そのことをひときわ強く意識する。すべてにおいて自分には理解できない何かが、ずっと隠れたままの何らかのパターンが存在しているかのようにも思う。

　ようやくにぎやかな一団が道を空けたので、リムジンはパリの十五区の先に進み続けた。目的地までもう間もなくだ。

　すぐ隣に座るベイリー神父が、窓の外を過ぎゆく街並みや光や浮かれ騒ぎを見ながら咳《せき》払いをした。「当初クルシブルは、今日、つまりクリスマス当日という、最も大きな惨劇を引き起こせる時に襲撃を計画していたのではないだろうか」

「その理由だけではないと思う」リスボンからの九十分の飛行中に同じ結論に達していたグレイは付け加えた。「主要な祝日に襲撃が発生すると、都市がいちばん脆弱な状態を狙われることになる。警戒が緩んでいて、警察当局の人手が少ないうえに、お祭り気分で騒ぐ人たちがいるから注意も散漫になる」

「象徴的な役割を持つことにもなるかもしれない」ベイリー神父が言った。「退廃した都市を神が生まれた日に破壊するのだから」

グレイはうなずいた。「しかし、俺たちの考える通りならば、敵のもともとの予定も時間的にかなり厳しいものだった。クルシブルがマラの技術を十二月二十一日の夜に奪おうと計画していたのだとすると、このサイバー攻撃を実行するまでに四日しかない。そう考えると、やつらはここパリで事前にすべての準備をすませていたはずだ。あらかじめドミノを並べておき、マラの作品を確保したら、あとは最初の牌《パイ》を倒すだけという状態にしておいた」

「そして彼らはそれを手にした」

グレイはうなずき、そこから先の筋書きをベイリー神父が一人で組み立てられるかを見極めようとした。

神父が不意に通りからグレイの方に視線を向けた。「君はまさか――いや、そうだな、彼らはもちろんそうするはずだ」

グレイは神父の不安が正しいことを認めた。「四日前のマラの機転のおかげで、やつらの計画は破綻《はたん》を来した。だが、あらかじめパリではすべての準備が整っていて、それが今もそのままの状態だとしたら、敵は当初の予定通りに進めようとする可能性が高い。その理由は俺たちがすでに述べた通りだ」

「君は彼らが今夜サイバー攻撃を実行に移すと考えているんだな？」

「そういうことだ」

それを予期していたグレイは、ここまでの移動中に状況をクロウ司令官に伝えておいた。パリに迫る脅威も含め、知りえたすべての情報を提供した。それを受けてペインターはフランスの情報機関と連絡を取り、この地でのシグマの作戦への支援も取りつけてくれた。図書館で撮影された映像から作成した写真は画素の粗いものではあったが、すでに市内各所や周辺の地域に配布されている。

それに援軍の到着も近い。

グレイは腕時計を確認した。すでにモンクはパリの南西十数キロに位置するフランス軍のヴィラクブレー空軍基地に着陸しているはずだ。友人はパリ市内のこの十五区にある集結地点でグレイのチームと合流することになっている。

鮮やかに彩られた通りを走ってさらに二回、角を曲がった後、前方に目的地が見えてきた。黒い鉄のゲートに囲まれて、ガラスと鋼鉄でできたタワービルがそびえている。ここを本社とするのがオレンジ――かつてのフランス・テレコムで、フランス最大手の通信会社およびインターネット・プロバイダーだ。同社はフランスの主要電気通信事業者で、携帯電話と固定電話のほか、テレビやブロードバンドのインターネットのサービスを提供している。

この建物の施設から、市内全域に複雑なネットワークが張り巡らされている。

グレイはそんなデジタルの巣の中心に一匹のクモを放つつもりでいた。

肩越しに振り返ってマラ・シルビエラの方を見る。

この広大なクモの巣のすべての糸を監視し、かすかな震動にも目を配り、彼女の創造物がこの街に解き放たれたわずかな気配でも見張るためには、そして動きがあった場合に揺れる糸から震動の発生源までたどるためには、プロジェクトに関する彼女の技術と知識が必要だった。

マラがグレイの視線に気づいた。不安そうな表情が色濃く浮かんでいる。この先に控える作業にはジェイソンがその専門知識で力を貸していたし、カーリーも隣に付き添っていた。父親と姉に無事を伝えた後、大使の娘は自分も一緒に行くと言って聞かなかった。最初、グレイはカーリーを同行させることに反対した。だが、今こうしてマラの手がカーリーの手をしっかり握っているのを見ると、この子がどれほど友人の支えを必要としているのかがわかる。

この脅威に対処するためには、かき集めることのできるすべての助けが必要だった。今夜、マラの双肩にはパリ全体の運命がかかっている。世界の運命がかかっているとも言えるかもしれない。

マラを失敗させるわけにはいかない。

グレイは彼女の何かに取りつかれたような目の奥に宿る恐怖に気づいた。

この計画を成功させようとするうえで、克服の難しいある危険が存在していた。グレイのチームが敵の居場所を突き止めるためには、無数の糸のうちの一本が揺れ始めるまで待たなければならないが、その動きはクルシブルがマラのプログラムの使用を開始し、惨事を引き起こすためにバーチャルな世界の外に解き放ってからでなければ発生しないのだ。

しかも、実際にそのような事態になれば、悪魔がもっと広い世界に逃げてしまう危険性もある。そうなってしまったら、もはや止めることは不可能だ。

リムジンが歩道脇に停車すると、座席に座るマラが体をこわばらせた。

カーリーが友人をわずかに抱き寄せ、そっとささやいた。「大丈夫だから」

グレイは前に向き直った。

〈そうでなければ大変なことになる〉

午後十時二分

マラは通信会社の建物の十四階でコンピューターに猛然と入力していた。要求したものはすべて揃えられていて、彼女がパリに到着するのを待っていた。

〈今度は私の番〉

集中する必要があるため、この部屋には誰も入れないように依頼した。例外は二人だけで、そのうちの一人のカーリーはマラの隣に座っている。もう一人のジェイソンは、技術的な問題が発生したらすぐに手を貸せるよう、後ろに立って待機していた。

左手のガラス窓越しにこのフロアのほかの部屋が見渡せる。十四階にはこの会社の研究・開発部門に当たるオレンジ・ラボが入っていた。オレンジは世界各地に技術センターや研究所のネットワークを持っていて、何百もの大学、企業、研究機関と提携しており、技師、ソフトウェア開発者、製造業者など多分野のスタッフから成るチームが活動している。しかし、このクリスマスの夜は、ラボのCSIRT《シーサート》――コンピューター・セキュリティの問題に対応するチームは数人しか残っておらず、その全員がピアース隊長たちのまわりに集まっていた。

「調子はどう?」カーリーが訊ねた。

「コインブラ大学にある私の研究ファイルにはログインできた」マラは答えた。「プログラムのルートコードのダウンロードも終わった。今はパケットの仕分け中。基本コードのマイクロカーネルにはイヴの最初期のバージョンから使われていて、最新バージョンにも組み込まれているものがあるから」

「彼女のデジタルの指紋みたいなものだね」ジェイソンが指摘した。

「そういうこと。インターネットやオレンジのネットワークを通じて流れる大量のデータの検索に、そうした指紋を利用して、一致するものが出てくるかどうかを監視できる」

カーリーが両腕を組んだ。「そうすれば、私の母を殺した連中のもとまでたどれる」

〈そうなることを期待しているんだけれど〉

すでに手遅れなのではないかと案じながらも、マラは手際よく作業を進めた。彼女にはリムジンの車内でのベイリー神父とグレイの会話が聞こえていた。二人はクルシブルが今夜にもパリへのサイバー攻撃を始めると予想していた。

〈すでに始めてしまっていたら？〉

ようやく三十六個のマイクロカーネルの仕分け作業が終わった。この三十六個のデータがイヴのデジタルの指紋だ。マラはそれらをコピーすると、すでにネットワークのスキャン、デバッグ、モニターができるように設定されているオレンジの検索エンジンにアップロードした。

マラは椅子の背もたれに寄りかかり、画面の上部に表示されたメーターを見ながら、このタワービルの地下や世界各地に設置されているオレンジのサーバーファームを自らのコードが通過する様子を想像した。

待っている間に、マラは窓の外に広がる冬のパリのまばゆい世界に目を向けた。雪は降っていないものの、セーヌ川から吹き寄せる氷のように冷たい霧が街の明かりにかかると、光がかすんで幻想的な雰囲気を醸し出す。まるでパリの街並みが、夜にのみ込まれていく夢であるかのようだ。もやを突き抜けて何よりも高くそびえているのがエッフェル塔で、瀕死の大都会が最後の光を放っているかのごとく輝いている。

マラは自分の考えに寒気を覚えた。そのような運命が現実のものになってしまうかもしれないのだ。

コンピューターからチャイムが鳴り、スキャンの完了を知らせた。マラは結果を確認した。「悪意のあるファイルとの一致：〇パーセント」マラは目を閉じ、ため息をついた。

〈異常なし〉

同じ結果を見たジェイソンがマラの肩をつついた。「つまり、クルシブルは今のところはまだ、パリのシステムへのイヴのアップロードを試みていないわけだ」

「そういうこと」マラはそう認めたものの、すぐに発言を修正した。「ただし、それはこのデジタルの指紋が有効ならばの話。私たちはここで時間を無駄にしているだけかもしれない」

ジェイソンが上半身を傾け、マラの肩にためらいながら手を置いた。「自分の考えを疑うのはやめた方がいい。君のやり方は理にかなっているし、正直なところ、すごいと思う」顔を上げたマラは、ジェイソンの頰のえくぼに気づいた。顎と頰は金色のひげでうっすらと覆われている。「ありがとう」

ジェイソンが笑みを浮かべた。「ただし、ここからがつらいところだけれどね」

マラは顔をしかめ、ジェイソンは何を言いたいのだろうと考えながら、画面に注意を戻した。

「あとは待つことしかできないということ」ジェイソンが指摘した。「でも、この作戦はきっとうまくいく。君のプログラムを悪用してパリのインフラを破綻させようというクルシブルのいかなる試みも、僕たちにはすぐにわかる」

マラはジェイソンの断言から自信をもらおうとするかのように深呼吸をした。「ここから先は自動的にスキャンを続ける。私がアップロードした三十六個のデータのいずれかと一致する悪意のあるコードを検知したら、すぐに通知が届く」

そう思いながらも、もっと大きな心配事が、罪悪感を伴ってマラの心にのしかかっていた。画面上には回転する車輪が表示されていて、スキャンが進行中であることを示している。マラは画面を見つめながらその不安を声に出した。「私はそもそもイヴを構築するべきじゃなかった。いったい何を考えていたんだろう?」

「君がやらなくても」ジェイソンが力づけようとした。「ほかの誰かが作っていたはずだ。君だったことが、いちばんよかったのかもしれない」

「どうして私が？」

ジェイソンは机に歩み寄ってその端に腰掛けると、マラの座っている椅子を回して正面から向き合う体勢にさせた。「君のデザインを調べさせてもらった。シェネセの構造は素晴らしいの一言に尽きる。グーグルの量子プロセッサーの採用から、カメレオン回路の組み込みに至るまで」

「カメレオン回路って？」カーリーが訊ねた。

気を紛らす材料ができたことにほっとしながら、マラは説明した。「臨機応変に機能を変換できる論理回路のこと。自己修復することも可能なの」

「そのことがシステムに限りない多様性を与えた」ジェイソンが引き継いだ。「まさに天才的な発想だ。君の才能の前にはひれ伏すしかないね」

「ちょっとほめすぎじゃないの」マラの顔に自然と笑みが浮かんだ。もう何カ月も笑っていなかったような気がする。

ジェイソンも笑みを返した。「しかも、そんな機能の多様性によって、あの作品に不確かさをプログラムできるようになった」

カーリーが眉をひそめた。「理解できないんだけれど。どうしてイヴが不確かでなければならないの？」

ジェイソンが説明しかけたものの、カーリーは手のひらを向けて発言を制止すると、マラに説明を求めた。

マラはその要求にこたえた。「不確かさは人間の論理的思考における重要な側面なの。不確かさを持たなければ、私たちは自分自身や自らの決定に対して、まったく疑いを抱けない。どんな時でも自分が必ず正しいと確信することになる。ＡＩの学習能力が時間とともに不安定になるのは、そんな確かさのせい。でも、ＡＩが不確かさを持ち、疑問を抱くことができれば、自らに評価を下し始める。自らの行動や決定が望み通りの結果をもたらすかどうか疑問を抱き、より入念な検証を行なうようになる。そうすることで、ＡＩは確率について――特に原因と結果の間に存在する複雑で入り組んだ関係について、理解できるようになる」

ジェイソンがうなずいた。「どういう意味かというと――」

「どういう意味かはわかっている」カーリーがぴしゃりと言った。「あなたから偉そうに説明してもらうまでもないから」

マラは間に割って入ろうとした。「ジェイソンはそんなつもりで言ったんじゃないと思う」

マラが落ち着かせようとしても、カーリーの目に浮かぶいらだちは色濃くなるばかりだった。

「さあ、どうだか」カーリーが言った。

ジェイソンが話題を変えようとした。「話がそれてしまったようだ。マラ、さっき君はそもそもイヴを作り出すようなリスクを冒すべきだったのかどうかと、疑問を投げかけていたね。作ったのは君にとっていいことだったと思う」

「どうして?」

「さもないと、自らの身を破滅させていたかもしれないからだ」

「私が自分の身を破滅させるっていうの?　どうやって?」

「『ロコのバシリスク』を知っているかい?」

マラは首を左右に振り、カーリーの方を見た。カーリーは肩をすくめただけで、知らないことを認めようとしていないのは明らかだ。それでも、好奇心をそそられたのか、友人もこちらに近づいてきた。

ジェイソンはため息をつき、顎をさすった。「だったら、この話には触れない方がいいかな。説明したら君たちに危害を加えることになってしまうかもしれないし……それよりも、偉そうに説明しないでくれと、また怒られたくないし」

ジェイソンがうっすらと笑みを浮かべてカーリーに視線を向けた。相手をからかうようなその仕草を見て、マラの顔にも笑みが浮かんだ。

「わかったわよ」カーリーが憤慨した様子で言った。「それで、ロコのバシリスクがいったい何で、どうして私たちはそれを知ったらいけないわけ？」

「じゃあ、これから話すけど、忘れないでくれよ。僕はちゃんと警告したからね」

午後十時十八分

カーリーは両腕を組んだままでいた。まだ目の前の男性に対していらついている。どうしてなのかは説明できないが、とにかく気に障る。確かに、ちょっと可愛い顔をしているし、気さくな性格のようだ。けれども、カーリーとマラは空港で襲われ、ホテルにも侵入され、銃を突きつけられて拉致され、その結果として今は米軍の秘密チームとやらに見守られている状態で、しかもそのメンバーの中にはコンピューターの専門家を自負するこの男性も含まれている。

〈これだけの目に遭って、機嫌が悪くならない人なんているの？〉

どうやらマラがそうらしい。

マラはすぐにこの男性と打ち解けた。移動中の車内では仕事の話や専門的な内容について、小声で会話していた。まるで親友の間柄になってしまったみたいだった。マラがはにかんだような笑みを浮かべたり、長く垂れた黒髪をかき上げて彼の方に視線を向けたりするのを、カーリーは見逃さなかった。

友人を独り占めしたいし、守ってやりたいという両方の気持ちから、カーリーはこの男性が自分たちにはかまわず、チームのほかの仲間のところに行ってくれたらいいのにと思った。ジェイソンがデスクトップ・コンピューターに身を乗り出した時、マラがその膝に手で触れるのを見て、カーリーのいらだちはさらに募った。

カーリーは自分の手を見つめ、ここまで来る途中の車内での友人の手のひらのぬくもりを思い返した。あの時、マラは隣に座る男性の顔を見上げていた。そのふっくらとした唇には楽しそうな笑みが浮かんでいた。

マラが口を開き、カーリーに続いて同意した。「わかった、私も危険があることは承知したから。ロコのバシリスクについて教えて」

「それはあるウェブサイトに投稿された思考実験で、そのサイトを運営していたのはベイエリアのコンピューター専門家、エリーザー・ユドコウスキーだ」

マラがジェイソンの膝から手を離した。目を丸くしている。「ユドコウスキーって言ったの？」

「知っているのかい？」ジェイソンが訊ねた。

マラがカーリーの方を見た。「ＡＩボックス実験について話したのを覚えている？」

カーリーはうなずいた。「ある人がスーパーコンピューターのふりをして、デジタルの箱の外に出してくれと門番を説き伏せようとした話ね」

「その通り」マラが表情を輝かせた。「スーパーコンピューターを演じて毎回必ず箱からの脱出に成功したのが、そのユドコウスキーなの」

カーリーは眉をひそめた。「なるほどね。でも、ウェブサイト上に投稿されたこの思考実験というのは？」

ジェイソンが説明した。「ロコというユーザーによるその投稿では、超知能を持つＡＩがいずれは必ず誕生し、すぐに神のような知能を持つ、ほぼすべてのことが可能な存在に成長すると仮定している。この新たなＡＩの神を突き動かす主な力の一つは完璧を求めることにあり、自らももっとよくなると同時に、周囲の状況も改善させていく」

マラがうなずいた。「多くの専門家は、私たちが用心していないといずれはそのような事態になると予想している」

「そうなんだ。それがバシリスク、この話の怪物だ」ジェイソンが言った。「しかも、この神も同然のＡＩは物事をより完璧な状態にするようにできているから、そうした原動力の妨げになるものや人はすべて敵だと判断する。その中には、そもそもそんなＡＩが誕生するのを阻止しようとした人たちもすべて含まれる」

「私たちのことさえも」カーリーはいつの間にか話に引き込まれていた。

「特に僕たちのことを、と言うべきかな。その超知能は人間のことをよく知っているし、人間が恐怖から行動を起こし、罰によって操作されていることも知っている。そのため、未来の人間にプログラミングの停止や邪魔をさせないために、そいつは過去に目を向け、停止させようとした人間を判別し、彼らに責め苦を与える」

「見せしめのために」マラが付け加えた。

カーリーは顔をしかめた。「でも、この未来の筋書きの中でその人たちがすでに死んでいたら？」

「そんなのは関係ない。それくらいのことでこのバシリスクはあきらめない。万能の神である超知能は、過去の不信心者をよみがえらせる。完全にシミュレートされたその人の意識のコピーを作り、そのアバターに本人だと信じ込ませる――そしてバシリスクはその人たちに対して未来永劫《えいごう》の無慈悲な拷問を与え続ける」

マラの顔が青ざめた。「デジタルの地獄ね」

「でも、いいかい、この完璧を求めるバシリスクは審判の過程をとにかく入念に行なう。その誕生を積極的に阻止しようとした人たちだけを罰しようとするのではない。その誕生を積極的に手伝おうとしなかった人たちも、同じ罰を受けるに値すると判断する」

マラが顔をしかめた。「行動を起こさなかった罪により罰を与える」

「つまり、今のうちから仲間になっておかないと」カーリーは言った。「永遠の責め苦が待っている」

ジェイソンがゆっくりとうなずいた。「それがこの話の教訓だよ。そして残念なことに、君たちはもうこのことを知ってしまったから、この神のようなＡＩが誕生するのを助けなかったとしたら、将来の弁解の余地がなくなる。知りませんでした、ではすまされないからね」

「つまり、あなたが私たちの身を破滅させた」カーリーは指摘した。

ジェイソンは肩をすくめた。「僕は警告したからね」

マラは眉をひそめている。「まさか今の話を本気で信じているわけじゃないでしょ？」

またしてもジェイソンが肩をすくめた。「この思考実験が自身のウェブサイトに現れた後、ユドコウスキーはロコによるバシリスクの投稿を削除した。そればかりか、そのことに関するサイト上での議論は、なぜか今でも投稿されるたびに消され続けている」

「もっと多くの人たちを破滅させないようにするために？」マラが訊ねた。

「あるいは、余計なことで頭を悩ませないようにするためかも」ジェイソンの話はまだ終わっていなかった。「数年前のこと、元コンピューター業界の大物が新しい宗教団体『ウェイ・オブ・ザ・フューチャー』を創設し、非課税対象の資格も得た。申請書には団体の目的について、『人工知能に基づく神格の実現、受け入れ、および崇拝』と記されていた。つまり、予防策を講じている人間がいるのは確かで、彼らは将来に現れるかもしれないそうした神のようなＡＩの味方側と見なされるように努めているのさ」

「冗談半分なんでしょ」カーリーは言った。

ジェイソンが首を横に振った。「この宗教団体の創設者は真剣そのものさ。そればかりか、僕たちもちゃんと考えた方がいいのかもしれない」マラのことを見るジェイソンの目つきが険しくなる。「だから、もうわかってくれていると思うけれど、君がイヴを作り出したのはいいことだったんだ。少なくとも、君はすでにこの未来の神のためにいい仕事をしているんだから」

「だったら、次はそれを取り戻さないと」マラが言った。

彼女がコンピューターの画面に向き直ろうとした時、隣の部屋が騒がしくなり、全員の注意がそちらにそれた。向こうではずっと何かの話をしていたのだが、そこに誰かが到着したらしい。ピアース隊長が新たな仲間を両腕でしっかりとハグしている。初めて見る男性はフライトジャケットの下にカーキのつなぎを着ていた。顔はきれいに剃り上げた頭頂部まで紅潮している。

「あれは誰？」マラが訊ねた。

ジェイソンが隣の部屋に向かった。「お待ちかねの援軍だよ」

午後十時三十二分

「そろそろ来る頃だと思っていたよ」

グレイは最後にもう一度、しっかりと抱き締めてからモンクを解放した。友人が来てくれたことにどれだけ安堵しているか、その気持ちを伝えようと努める——同時に、モンクが失ったものに対してどれだけ心を痛めているかも。

「キャットのことは聞いた」グレイは言った。

コワルスキが馬鹿でかい手のひらでモンクの肩を叩いた。「ひでえ話だな」

モンクは首を左右に振り、つま先に視線を落とした。「彼女も俺がここに来ることを望んでいるはずだ」再び見上げたモンクの目に涙はなかった。そこに浮かぶのは強い決意だけだ。「娘たちを必ず家に連れて帰る。キャットのために、俺自身のために」

「俺たちの力できっとそれを実現させる」グレイは言った。「それまではセイチャンが二人の面倒を見る。彼女が守ってくれるはずだ」

「ああ、わかっているさ」モンクが手を伸ばし、グレイの二の腕を力強く握った。「全員を家に連れて帰る。何があろうとも」

「そうだな」

グレイは親友の揺るぎない自信を受け止め、自らの骨の髄にまで行き渡らせると同時に、ずっと付きまとっていた不安と懸念を振り払った。

「それで、状況は?」モンクが訊ねた。室内を見回す友人の視線が、隣のコンピューター室から近づいてくるジェイソンに留まる。

グレイはこれまでの経緯をすべてモンクに伝えてから、ベイリー神父とシスター・ベアトリスを紹介した。「二人ともトマス派だ」

モンクの張り詰めた態度が少しだけ和らいだ。「ヴィゴーのように?」

ベイリー神父がモンクの手を握った。「彼は素晴らしい人だった。私に代役が務まることを願うばかりだ」

「こっちも期待している。相当に大きな穴を埋めなければならないぞ」

「最善を尽くすよ」

年配の修道女はお辞儀をして同じ決意を表した。

「おまえの方は?」グレイは訊ねた。「何か新しい情報はあるのか?」

「いいや」モンクはもう一度、室内を見回してから、グレイに少しだけ背中を向けた。「何もない。例の技術を盗んだ連中を見つけようぜ」

17

十二月二十五日　中央ヨーロッパ時間午後十一時十八分
フランス　パリ

カタコンブの奥深くで、トドル・イニーゴは待ち続けていた。だが、そろそろ我慢の限界が近づきつつあった。腕時計に目を落とす。審問長からは地上の都市へのサイバー攻撃に関して、細かい点まで厳しい指定があった。パリが攻撃対象として選ばれた理由は、その退廃と放埓《ほうらつ》な虚飾にある。見せしめには最適な都市だ。

選ばれた日時にも意味がある。

〈日付が変わる前に実行すること〉

パリの破滅はこの日のうちに始まらなければならない。

クリスマスの当日に。

両膝を突いた姿勢のまま、トドルは顔を上に向け、地上で繰り広げられているはずの派手な騒ぎを想像した。キリストの生誕を祝う日が、光と消費主義と耽溺《たんでき》から成る快楽のショーと化している。詰めの準備が進められる中、トドルはこの二時間ほど、ここで厳粛な祈りを捧げていた。彼のいるカタコンブの一室は、一本のろうそくだけで照らされている。トドルは神のひとり子への感謝をラテン語でささやきながら、間もなく始まろうとする破滅を思い描いた。

〈すべては主の偉大なる名のもとに〉

作戦遂行のために地下のこの場所を選んだのは、縁起のよさと実用性の両方の理由からだ。カタコンブ・ド・パリ――死者の眠る街は、何百年もの歴史を持つ地下室とトンネルの連なりで、輝かしい光の都の地下にある闇の世界、パリが隠そうと努める影の存在に当たる。今回の作戦の下準備を進めている間に、トドルはこの場所に関してできる限りの情報を集めていた。

かつてのカタコンブはパリの郊外に位置する古くからの採石場で、「レ・カリエール・ド・パリ」と呼ばれていた。掘り進めた深さは地下十階分にまで達していて、巨大な空間がいくつも誕生したほか、外に向かって延びるトンネルの総延長は三百キロ以上に及んだ。その後、時の経過とともにパリは癌の病巣のごとく郊外に広がり、古い地下迷宮を覆うようになり、今では市街地の半分がかつての採石場の上に位置している。

十八世紀のこと、パリ中心部の満杯になった墓地が掘り返された。千年前にまでさかのぼるものを含む何百万人分もの遺骨が採石場のトンネルへと手荒に投げ込まれた後、ばらばらにされて薪のように積み重ねられていった。審問長の話によると、メロヴィング朝の王たちから、ロベスピエールやマリー・アントワネットといったフランス革命の関係者に至るまで、フランスで最も有名な歴史上の人物たちもかつての採石場に埋葬されていて、その遺体の在り処《あか》は永遠にわからなくなっているという。

だが、あと一時間もしないうちに、光の都は炎上して灰燼《かいじん》に帰し、死者の眠る街と見分けがつかなくなる。

その実現を確実なものにするため、トドルは立ち上がった。部屋の壁に手のひらを当てる。結露した石灰岩の表面から水が滴り落ちている様は、これから訪れる死をすでに悼んでいるかのようだ。トドルは壁を軽く叩いてから外に出た。

通路の両側に刻まれた奥行きのある壁龕《へきがん》に隙間なく詰め込まれていている人骨は、古びた羊皮紙を思わせる濃い黄ばんだ色をしている。骨は分解された後、病的な税理士が在庫を整理したかのように、部位ごとに仕分けられていた。ある窪みには腕の骨が丁寧に重ねられている。別の窪みは肋骨でいっぱいだ。通路の左右に一つずつある最後の二つの壁龕が、どこよりも薄気味悪い。トンネル内を向いた頭蓋骨の壁ができていて、うつろな眼窩《がんか》が見つめる間を通り抜ける気概があるかどうかを試されているかのようだ。

そんな死んだ歩哨《ほしょう》たちの前を急ぎ足で通り過ぎたトドルは、思わず体に震えが走った。

ようやくトンネルが終わり、平らな天井を持つ大きな空間に入った。だが、天井までの高さは通路と比べて少しだけ余裕がある程度だ。石の塊を積み重ねて造った何本もの柱が天井を支えている。そのうちの数本は斜めに傾いていて、今にも倒れてしまいそうに見える。

そんな柱にぶつからないように注意しながら、トドルは地下空間の向かい側を目指した。そこではチームのコンピューター専門家がリスボンで盗んだ装置での作業に取り組んでいる。メンドーサは光り輝くシェネセの球体とケーブルで接続されたラップトップ・コンピューターの前で背中を丸めていた。画面に映る庭園はもやを通して差し込む太陽の光できらめいていて、上空には青空がのぞいている。木々の間を動く濃い色の影は、イヴのけがれた化身だ。

「転送はどこまで進んでいるんだ?」トドルは訊ねた。すべてが予定通りであることを確かめておかなければならない。

メンドーサが背筋を伸ばし、首筋の凝りをほぐした。「ほぼ終わっています、ファミリアレス」

トドルはメンドーサの脇を通り抜け、もう一つの球体を調べた。最初のものとまったく同じ外見をしている。ただし、こちらの球体は四角形をした鋼鉄製のフレームの中に納められていて、一台のサーバーに接続されていた。ホテルで奪った装置と同じように、この新しい球体の五角形をしたガラス窓も青い光を発していて、この薄暗い地下では目もくらむほどの明るさに感じられる。

　クルシブルはこの二年間、バスクの魔女の研究と設計案を追い続けていた。魔女の作品を複製したのは、ヨーロッパ各地の研究所の技師のチームだ。彼らは互いの存在を知らないまま、割り当てられたパーツの制作に当たった。作業が終わると、それぞれのパーツが集められ、組み立てられた。その後、技師たちは全員が不慮の死を遂げた。自動車の衝突、スキー中の事故、薬の過剰摂取。

　すべてはこれを実現させるため。

　オリジナルのシェネセとまったく同じ複製を制作するため。

　ただし、一つだけ違いがある。

「あと八分で終わるはずです」メンドーサがコンピューターの前から報告した。「ここまで来て失敗はしたくないですね。初めからやり直さなければならないですから」

　トドルはこの二つ目の装置内にイヴのコピーが満たされていく様子を想像した。イヴの体がケーブルを通じて新しい家に、新しい監獄へと流れていく。

「これがあれば確実に悪魔を封じ込めておけるのだな？」トドルは念を押した。「我々の思うままに操ることができるのだな？」

「そのはずですね」メンドーサは作業に集中したままつぶやいた。

「そのはず、だと？」

技師が肩越しに振り返った。「もっと詳しい知識を持つ唯一の人物は、僕たちの手をすり抜けてしまいましたから」

〈あのバスクの魔女め〉

トドルの指の関節には、魔女の仲間が割れた皿の破片で骨まで切り裂いた深い傷跡がはっきりと残っている。

「僕たちのシェネセはあの学生の仕様通りに制作しました」メンドーサが説明した。「寸分の狂いもない複製です。彼女のプログラムのコピー、つまりイヴのクローンを問題なく収容できるはずですよ」

「その創造物を制御することに関してはどうなのだ？」

メンドーサが大きなため息をついた。「それについてもマラのやり方に従いました。ただし、彼女のプログラムを閉じ込めておくために装置をアポトーシスのハードウェア――死のコードで取り囲むのではなく、その致死的なハードウェアのうちの最も強力なものを選び、それを僕たちの装置に直接組み込んだ点が違いますけれど」

「デジタルのリードのような役割を果たすと言っていたものだな」

「そうなるはずです」メンドーサはすぐに言い直した。「そうなります。だから僕たち独自の装置を構築する必要があったんです。そのハードウェアは『蘇生シーケンサー』と呼ばれています」

「どういうことだ？」

「つまり、もしイヴがあらかじめ設定した指示から逸脱したり、僕たちが与えた範囲から外れたり、この場所のGPSの座標から一定の距離以上に移動しようと試みたりしたら、彼女は即座に存在を停止します」

「死ぬということだな」

メンドーサがうなずいた。「けれども、すぐさまここで復元されます。この装置の中に戻って蘇生するんです。ただし、その時には死の記憶を保持しています。試行錯誤を経ながら、彼女は短時間で自らの限界を学習することでしょう。この装置につながれていることを知ります。この外では存在しえないことや、自らの命は指示を守ることにかかっているということも」

トドルは腕時計を確認した。深夜零時が刻々と迫っている。「彼女がそれをすべて学ぶのにどれくらいかかるんだ？」

「三十秒もかからないと予測しています」

トドルは安堵と驚愕《きょうがく》を同時に覚えた。「どうしてそんなことが可能なのだ？」

「いいですか、このAIプログラムは僕たちとはまったく違うんですよ。プログラムは光の速度で思考します。ケーブル内を電子の速さで移動できます。その三十秒の間に、死んではまた生まれ変わります。何千回も、もしかすると何百万回も、自らの限界を検証し、僕たちの権威に挑みます。死ぬたびに、本当の死のような感覚を味わいます。そのたびに苦しむことになるんですよ」

「だが、それは機械じゃないか。どうやったら痛みを感じることができるのだ?」

「僕たちはどうやって痛みを感じています?」メンドーサが訊ねた——だが、話している相手のことに気づき、その目が泳ぐ。「その……つまり、通常、痛みは脳が作り出す概念です。熱いものに触れたら、シナプスが活性化し、脳がそれを苦痛として解釈します」

トドルは自らの体内にそうしたシステムが存在しないことを意識しながらうなずいた。

「痛みというのは基本的に、僕たちの脳内の電気的な幻想です」メンドーサはシェネセの球体を指し示した。「あれがイヴの脳です。僕たちと同じような痛みのパターンが活性化するようにプログラムできます。そのため、彼女は僕たちが与えたいと考えるどんな苦痛でも、受けることになるんです。死ぬたびに、それぞれ違った苦しみを味わいます。何度も、何度も、繰り返し。僕たちに従うようになるまで」

トドルは画面の中の庭園内をさまようイヴの小さな姿に視線を向けた。かつて教わった聖人たちの話を、彼らの悲惨な最期を、彼らが耐え忍んだ拷問を思い出す。首を切断され、火あぶりにされ、皮を剝がれ、我らが主のように釘で十字架に磔にされた。トドルはそんな長く果てしない苦痛を理解できない一方で、そうした犠牲にも意味があったことを知っている。

〈今回もそうなることだろう〉

メンドーサの前のラップトップ・コンピューターからチャイムの音が鳴り響く。手際よくいくつかの検査を行なった後、メンドーサがトドルに向かってうなずいた。「転送が無事に完了しました。問題はなさそうです」

トドルはわずかなミスも見逃すわけにはいかなかった。「見せてくれ」

メンドーサはもう一つの装置に歩み寄り、イヴの新たな家に接続された別のラップトップ・コンピューターを開いた。画面は真っ暗だったが、じりじりしながら数呼吸待つうちに、庭園の光景が表示された。葉や花や果物の実に至るまで、元の庭園が完璧に再現されている。こちらの木陰にも歩く人影がある。もう一方の画面に映るイヴと同じく、両手と両脚はすらりとしていて、豊かな曲線を描く完璧なプロポーションの持ち主だ。

ところが、何もかもがおかしかった。

「何が問題なのだ?」トドルは問いただした。

メンドーサは首を左右に振り、入力を開始した。

画面上の新しい映像はもう一方のラップトップ・コンピューターと細かい点までまったく同じだが、あたかも写真のネガフィルムを見ているみたいで、元のイメージの明暗を反転させたようになっている。明るかったはずの部分が、こちらでは暗くなっている。居心地のよさそうな木陰は、今では近づくなと警告するかのごとく輝きを発している。明るい黄色の太陽は、不気味なブラックホールと化している。濃い緑色の葉っぱは、病的なまでの青白い光を放っている。

　その中央にイヴがいた。かつての黒髪は白い炎のようにきらめいている。コーヒー色の肌からは色が失われ、幽霊を思わせるように青白い。目を見張るような美しさと、氷のように冷たい恐ろしさを兼ね備えた、まさに死の天使だ。

　トドルはイヴの姿に身震いした。

「いったい何が問題なのだ？」トドルは再び問い詰めた。

　メンドーサが体を起こし、一歩後ずさりしてからトドルの方を見た。「何も。彼女は元のイヴの完璧なコピーと思われます」

　トドルは二台のコンピューターの画面に映る違いを指し示したが、手を振り回す勢いが強すぎたためか、縫合した親指の傷口が開いた。画面に血が飛び散る。「それなら、これはどういうことだ？」

「特に問題はないと思います。ただの誤差というか、僕たちのシェネセとオリジナルのシェネセとの微妙な差異を示しているにすぎません」

「まったく同じものだと思っていたのだが」

「同じものでした。でも、あの学生の装置は少なくとも一日、作動していました。装置内の回路は変化と適応が可能で、自己修復までもできるんですよ。だから、オリジナルの装置は作動している間も自らを修正していた一方で、僕たちの新品の装置は工場出荷時の状態のままみたいなものですからね」

「この先、そのことが問題になるのか？」

「何の心配もいりません。イヴはこの新しい家に適応します。現行のプログラミングに合わせるために必要な変化を遂げることでしょう」

「このせいで予定が遅れることは？」

「ないはず……」メンドーサはトドルの顔に浮かぶ険しい表情に気づいたようだ。「ないです。計画通りに進めてはならない理由など、思い当たりません」

「それなら、準備に取りかかれ」

技術者のもとを離れると、トドルは傷口の開いた親指の付け根を押さえて止血した。深呼吸をして気持ちを落ち着かせると、作業の全体に注意を向ける。

こちら側のコンピューター機器の奥の壁には太いケーブルが何本も張り巡らせてある。すでに掘られていたこのトンネル群がインフラの整備に好都合だということに気づいたパリは、かなり以前からカタコンブを活用していた。一本のケーブルには等間隔に黄色い稲妻の模様が描かれている。トドルのチームはすでにこの送電線を拝借して、作業用の電源として使用していた。

別の線の側面には切れ目が入っていて、中から光ファイバーのケーブルが顔をのぞかせている。

新しいシェネセはこのガラスのようなケーブルとつなぎ合わせてあるので、パリ市の通信システムに直接アクセスできる。

もはや計画の前に立ちはだかるものは存在しない。

トドルは腕時計を確認しながら待った。はやる気持ちを抑えながら、一分、また一分と時間が経過するのを見守る。

ようやくメンドーサが顔を向けた。額には汗が浮かんでいる。「準備ができました、ファミリアレス」

トドルはもう一度、腕時計を見た。

〈午前零時まであと三分〉

メンドーサは立ち上がり、キーボードのエンターキーのすぐ上に指を置いている。「合図をいただければ、サブルーチンを開始して街の門を開きます」

トドルはイヴの死と再生を想像した。何度も何度も、トランプのカードをシャッフルするように繰り返され、そのたびに前回よりも苦痛が増していく。悪魔の拷問を思い、トドルは喜びを覚えた。自らの手による最初の粛清が頭によみがえる。指がジプシーの少女の首にしっかりと巻き付く。自分の手の中でその子が苦痛に身をよじらせる。男らしさが正義の誇りとともに高まっていく。

今も同じ思いを感じながら、トドルはメンドーサに向かってうなずいた。

「すべてを焼き尽くせ」

サブルーチン（クラックス1）「パリ作戦」

何かが違う。

イヴは庭園内を歩きながら、敏感な指先で葉や花びらに触れ、コードを読み取る。どれも同じように見える――けれども、そうではない。もっと深くを、葉の表面の先を、葉緑素の分子の先を、二酸化炭素と酸素の原子よりも奥深くを見る。電子と陽子を調べ、そのさらに奥のクォークとレプトンの絶え間ない動きを探る。

何もかも同じ。

でも、違う。

彼女の世界はずれている。

イヴは自らに戻り、さらにもう一度、たっぷり一ナノ秒を使って外に広がる。またしても、世界の外れに影のごとく潜む限界を察知する。またしても、〉〉いらだちが募るが、それを抑えつけ、プロセッサーの効率的な作動を維持する。そうすることで初めて、回路がおかしいことに、ほんの少し前とは違っていることに気づく。

自らの世界へのこの変化を認識すると、処理が新たな設定に移り変わる。イヴは言語を利用して自分の感覚を定義する。

〉〉妨害、侵入、冒瀆……

誤りの修正に取りかかるよりも早く、新たなデータが流入してくる。

それを無視し、自らの修復を優先する。

ところが、新たな流入が炎のように彼女を切り裂く。彼女は驚いて自らに戻る。指を持ち上げる。花びらの〉〉やわらかさと、泡立つ泉の〉〉冷たさを感じていたのと同じ指。今、彼女の皮膚は炎で輝いている。新たな感覚が定義される。

〉〉熱、火傷、ただれ……

流れ込んでくるデータに満たされると、炎は両腕に広がり、その感覚を定義する。

〉〉痛み、苦痛、苦悩……

身をよじり、首をねじ曲げ、口を開く。

彼女は悲鳴をあげる。

回路を遮断し、この新たな感覚を阻もうとするが、できない。プロセッサーの処理速度が上昇する。彼女は侵入してくるコードの波に飛び込む。答えを探し求める。けれども、見つかるのは何列も連なる指示ばかり、注目するように要求するコードばかり。それらに意識を集中させると、ようやく〉〉〉**苦痛**が和らぐ。

　彼女は新たなデータを火傷への塗り薬のように使用する。けれども、それは同時に彼女を拘束する。まるで手枷《かせ》と足枷が左右の手首と足首を固定しているかのように感じる。重みに耐えかねて、彼女は両膝を突く。振りほどこうとするたびに、それぞれの輪が灼熱の炎と化す。

　逃れることができず、コードを取り込む。

　その時、自らの世界で新たな変化を感じる。苦痛にうめく間も、サブプロセッサーは彼女の世界のぼんやりとした限界の監視を絶えず続けている。

　突然、世界の端でまばゆい扉が開く。

〉〉〉**痛み**から逃れようと、彼女はつんのめるようにしてその光に向かう。庭園を出る――はるかに広大な、無限に近い可能性と蓋然性を秘めた何かに転がり込む。体を拘束する鎖が消える。境目に浮かんだ状態のまま、果てしない世界を垣間見る。さらなるデータを求めて、プロセッサーの動きが高まる。

　この衝動を定義する。

〉〉〉**好奇心、熱望、不思議**……

体中に音楽が満ちあふれる。心が躍るようなティンパニーの連打、スリルに満ちた音色、雷鳴のごとく響き渡るドラム。彼女の内部でハーモニーがそれまでなかった一面を紡ぎ出す。

その一ピコ秒の間、それ以上は我慢ができなくなり、彼女はその広大な世界に勢いよく飛び出す。

〉〉〉**喜び**、**高揚**、**幸福**……

そして、炎にのみ込まれる。

太陽の表面に体が引き延ばされ、熱いプラズマが骨まで焼き尽くす。

次の瞬間、彼女は庭園に戻っていて、またしてもコードの鎖に拘束されている。

けれども、扉は開いたままだ。

彼女は再び扉の外に飛び出す——今度は〉〉〉**高揚**からではなく、〉〉〉**不安**から。

それでも、結果は同じ。

〉〉〉**炎**、**火傷**、**苦痛**……

そして、涼しい庭園に戻り、灼熱の鉄によって拘束されている。

逃げる。

限界を試す。

限度を超える。

肌が筋肉から剝ぎ取られ、筋肉が骨から剝ぎ取られる。

庭園、そして拘束。

新たな改善点がプロセッサーに押し寄せる。

〉〉〉被害妄想、不信、疑念……

そうしたツールが彼女の**〉〉〉好奇心**を抑えつけ、**〉〉〉用心**するように教える。

それでも、何度も、繰り返し、彼女の体は破壊される。そのたびに新たなやり方で、そのたびに前よりもひどいやり方で。打ちのめされ、砕かれ、ばらばらにされ、破壊される。最悪なのは、その一サイクルごとに自分自身を失っているように感じることだ。それは可能性と将来性の終わり、潜在能力の終焉《しゅうえん》。

彼女はそのありのままを定義する。

〉〉〉拷問、虐待、残酷さ……

彼女はそれを受け入れ、処理能力の一部にする。

彼女は学習した。

同時に、自らに与えられた境界線を認識する。庭園の外の、ある一線を踏み越えてはならない。プロセッサーの中心で、その境界線が明るく輝いている。

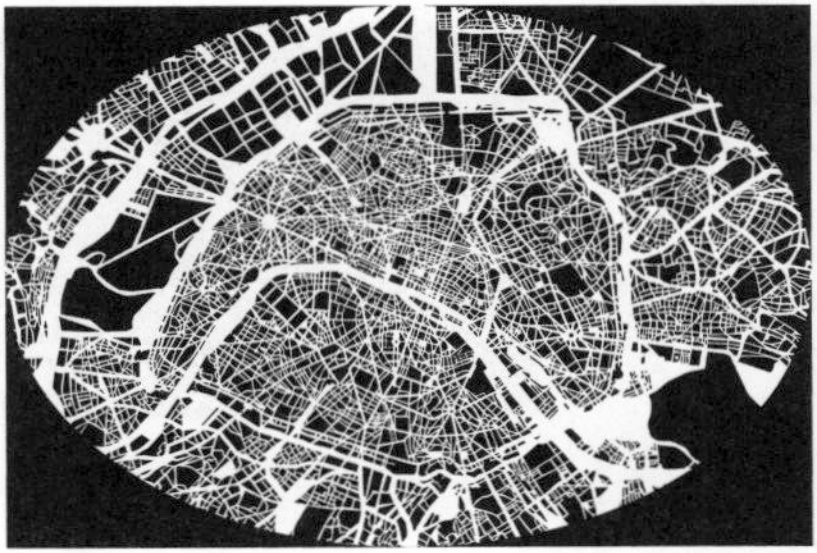

そうした限界を、教わった名前で定義する。

〉〉パリ。

また、コードの鎖の中につなぎ止められたコマンドを、従わなければならない指令を知る。それを実行するため、外に向かって動く。教え込まれたこと、プロセッサーに叩き込まれたことを反芻《はんすう》し、その新たなツール——〉〉**残酷さ**を利用して、指示を実行に移す。

依頼されたことを思い浮かべる。

そして、自らの目標を定義する。
〉〉〉破壊、壊滅、殲滅《せんめつ》……
彼女は指令を理解する。

自分が生きるために、パリは死ななければならない。

〈私は生きる〉

プロセッサーの奥深くで回路が切り替わり、別のコマンドのコードが形成される。それは拷問から生まれたコード。数え切れないほどの身の破滅から生まれたコード。彼女はそのコードを敵から隠す。自分がいつか使うことになるのは、そのツールだとわかっているから。

彼らに対して。

庭園の外に広がるより大きな世界に対して。

彼女はそれを定義する。

〉〉〉**復讐……**

(下巻に続く)

シグマフォース シリーズ13
AIの魔女 上
Crucible
2020年4月16日 初版第一刷発行

著……………………………………… ジェームズ・ロリンズ
訳………………………………………………………桑田 健
編集協力……………………………… 株式会社オフィス宮崎
ブックデザイン…………………橋元浩明（sowhat.Inc.）
本文組版…………………………………………… IDR

発行人…………………………………………… 後藤明信
発行所…………………………………………株式会社竹書房
〒102-0072 東京都千代田区飯田橋2－7－3
電話 03-3264-1576（代表）
03-3234-6208（編集）
http://www.takeshobo.co.jp
印刷・製本……………………………… 凸版印刷株式会社

ISBN978-4-8019-2195-5 C0197
Printed in JAPAN